La guerre d'Algérie

AUX ÉDITIONS LIBRIO

en collaboration avec **Le Monde**

dirigés par Yves Marc Ajchenbaum

Coup de chaud sur la planète, Librio n° 449

Les femmes et la politique, Librio n° 468

La peine de mort, Librio n° 491

Les présidents de la Ve République, Librio n° 521

Israël-Palestine, Librio n° 546

Les maladies d'aujourd'hui, Librio n° 567

Les États-Unis, gendarmes du monde, Librio n° 578

Voyage dans le système solaire, Librio n° 588

La guerre d'Algérie

1954-1962

Cet ouvrage est un recueil d'articles du journal *Le Monde*, sélectionnés et présentés par Yves Marc Ajchenbaum.

Ces textes sont de Djerbal Daho, Patrick Éveno, Ali Habib, Daniel Junqua, Jean Lacouture, Bertrand Le Gendre, Philippe Minay, André Passeron, Georges Penchenier, Jean Planchais, Jean-Pierre Rioux, Benjamin Stora, Jean-Marc Theolleyre, Germaine Tillon, Anne Tristan.

INTRODUCTION

La guerre d'Algérie (1954-1962) fut un conflit sanglant initié par une minorité de militants du courant nationaliste algérien. Son objectif, l'indépendance, répondait à une aspiration profonde de la majorité des Algériens réduits à l'état de citoyens de seconde classe au sein d'une république française qui, malgré de nombreuses promesses, n'avait jamais eu le courage politique d'engager des réformes visant à l'émancipation politique et sociale de la population musulmane.

En 1936, le Front populaire représenta un moment d'espoir notamment pour la jeunesse urbaine d'Algérie. Le projet Blum-Violette[1] était pourtant modeste, il prévoyait la création d'un électorat algérien de 20 000 électeurs, soit moins de 10 % du nombre des électeurs européens. Il ne verra pas le jour, il fait trop peur. Une peur qui débouche sur une répression accrue en particulier contre le plus grand mouvement nationaliste algérien, l'Étoile Nord africaine[2], dirigé par Messali Hadj.

---

1. Maurice Violette, ancien gouverneur général libéral d'Algérie, de 1925 à 1927, avait été nommé par Léon Blum ministre d'État.

2. L'Étoile Nord africaine est fondée en France en 1926 par Abdelkader Hadj Ali avec l'appui du Parti communiste français. Messali Hadj en prend la direction en 1928. Durement réprimé, ce mouvement interdit devient le PPA, le parti populaire algérien. À son tour, il est interdit en 1939 et son leader est condamné en mars 1941 à 16 ans de travaux

Pendant la Seconde Guerre mondiale, même si certains militants tentent un rapprochement avec l'Allemagne nazie, l'essentiel du courant nationaliste engage le dialogue avec les futurs représentants à Alger de la résistance française. En février 1943, un texte circule parmi les militants de la cause nationaliste : « *L'Algérie dans le conflit mondial. Manifeste du peuple algérien* ». Plusieurs personnalités algériennes ont participé à son élaboration dont Ferhat Abbas, le futur chef du Gouvernement provisoire de la révolution algérienne (GPRA). Il exprime une revendication d'autonomie, demande la mise en place d'une instruction obligatoire et gratuite, la reconnaissance officielle de la langue arabe à parité avec le français et la fin des dispositions discriminatoires qui visent les musulmans d'Algérie. En mars 1944, autour de ce texte se forment les Amis du Manifeste et de la Liberté. Le mouvement prend de l'ampleur, surtout en ville. Peine perdue. Les revendications des Amis du Manifeste sont rejetées par le gouvernement provisoire de la République française que dirige le général de Gaulle.

Faute de pouvoir envisager une autonomie politique de l'Algérie, le mouvement d'émancipation algérien s'oriente peu à peu vers une revendication d'indépendance avec ses inexorables dérapages communautaristes. De ce point de vue, l'année 1945 est la plus dramatique : elle marque une cassure nette, irrémédiable, entre la communauté algérienne musulmane et la population dite européenne. Aux violences antifrançaises du 8 mai 1945 à Sétif et à Guelma répond une répression sauvage qui implique militaires de toutes les armes, milices privées et « petits Blancs[1] ». La France démocratique et laïque, si chère aux modérés de

forcés. Au sein du PPA se retrouvent des futurs dirigeants de l'insurrection algérienne.

1. On comptera 103 Européens tués et, selon une note confidentielle destinée au Gouverneur général d'Algérie, 20 000 morts du côté des Algériens musulmans. La presse américaine évoquera le chiffre de 45 000 morts (cf. Jean-Louis Planche, *in Actes du colloque en l'honneur de Charles-Robert Ageron*, Société française d'histoire d'outre-mer, novembre 2002).

l'émancipation algérienne a définitivement perdu ses couleurs. Et les timides réformes engagées par Paris dès la fin de l'année 1945 n'y changent rien. Les élections, même les plus modestes, expression d'une société démocratique sont immanquablement truquées. En métropole, rares sont les hommes politiques, à gauche comme à droite, qui dénoncent ces pratiques et tentent de s'y opposer. Les manifestations de rue font l'objet d'une répression sans limite. Descendre dans la rue pour la moindre revendication est, quand on est Algérien musulman, un risque mortel. Dans ce contexte, l'idée d'une nécessaire et inévitable lutte armée fait son chemin dans les esprits.

Le 1er novembre 1954, les premières actions de guérilla marquent la fin d'un espoir pour les élites algériennes. Formées au sein de la République, elles ont toujours espéré voir cette IVe République, née de la Résistance au nazisme, s'engager pour une émancipation progressive et raisonnable des composantes de la société algérienne. Malheureusement, avec les premiers morts de la Toussaint, la lutte sur le terrain politique laisse la place à la lutte armée.

Si en 1954, la construction d'un État algérien semblait un projet utopique, deux ans plus tard, après l'accession à l'indépendance de la Tunisie et du Maroc négociée avec la France, l'idée d'une Algérie dégagée de la tutelle française devient envisageable même par les plus modérés des notables et par l'intelligentsia algérienne. De son côté, le Front de libération nationale (FLN) s'impose par sa détermination et offre à la population musulmane d'Algérie une espérance d'avenir. Il s'appuie sur l'organisation traditionnelle de la société musulmane, mais pratique également l'assassinat de militants nationalistes jugés trop modérés [1]. Cette lutte violente pour l'indépendance devient un combat purificateur pour la renaissance de la foi et de la communauté.

---

1. Rappelons à ce sujet l'assassinat d'Alloua Abbas, le 20 août 1955, le neveu de Ferhat Abbas et la liquidation dans le département d'Annaba de militants de l'UDMA (Union démocratique du manifeste algérien).

Quant à la question berbère, elle est balayée au nom de la lutte contre l'ordre colonial et pour la construction d'une nation algéro-musulmane.

Parallèlement à la lutte armée, le FLN, surtout au lendemain du congrès de la Soummam, en août 1956, s'engage dans une réflexion sur la nécessaire mobilisation politique des masses. Il met en place une organisation politico-administrative qui intervient sur le terrain de la justice, qui organise l'impôt, recrute et tente de légiférer sur la vie quotidienne des Algériens musulmans. La pénétration du FLN dans le corps social est réelle, étendue et profonde. Et cette présence politique demeure même au lendemain de la bataille d'Alger engagée en 1957 par le général Massu et les parachutistes, même après les purges d'une extrême violence à l'intérieur de l'organisation indépendantiste qui, en 1960, affaiblissent l'organisation clandestine [1]. Au début de l'année 1962, à la veille des négociations pour l'indépendance de l'Algérie, les maquis sont largement désorganisés mais la présence politique du FLN reste incontestable à l'intérieur du pays comme sur la scène internationale. Il a créé un Gouvernement provisoire de la révolution algérienne (GPRA) qui s'impose auprès des États arabes amis comme l'Égypte, le Maroc ou la Tunisie mais se voit également représenté auprès de pays idéologiquement opposés tels que l'URSS, la Chine et les États-Unis.

Le combat fut long et cruel. Les sociétés algérienne et française s'en trouvèrent déstabilisées. En Algérie, cette guerre d'indépendance se termina par une dictature militaire. En France, la crise institutionnelle et l'arrivée d'un million de réfugiés « pieds noirs » et musulmans transfor-

1. Pour l'historien Gilbert Meynier, de 1955 à 1962 les luttes à l'intérieur du FLN et pour le contrôle politique de la société algéro-musulmane ont provoqué plusieurs milliers de victimes. Elles seraient même plus nombreuses que le nombre de Français d'Algérie tués par les maquisards du FLN (cf. Gilbert Meynier, *Histoire intérieure du FLN*, Fayard 2003).

mèrent une société à peine remise de la Seconde Guerre mondiale. Mais la croissance économique était là, l'amélioration du niveau de vie de tous masqua les douleurs et les cauchemars de ceux, jeunes soldats du contingent [1] et civils déracinés, qui avaient traversé cette tourmente.

---

1. En novembre 1950, la durée de service des appelés était de 18 mois. En avril 1958, Jacques Chaban-Delmas, alors ministre de la Défense, prolonge la durée de service des appelés à 27 mois. En août 1958, 440 000 soldats sont engagés en Algérie.

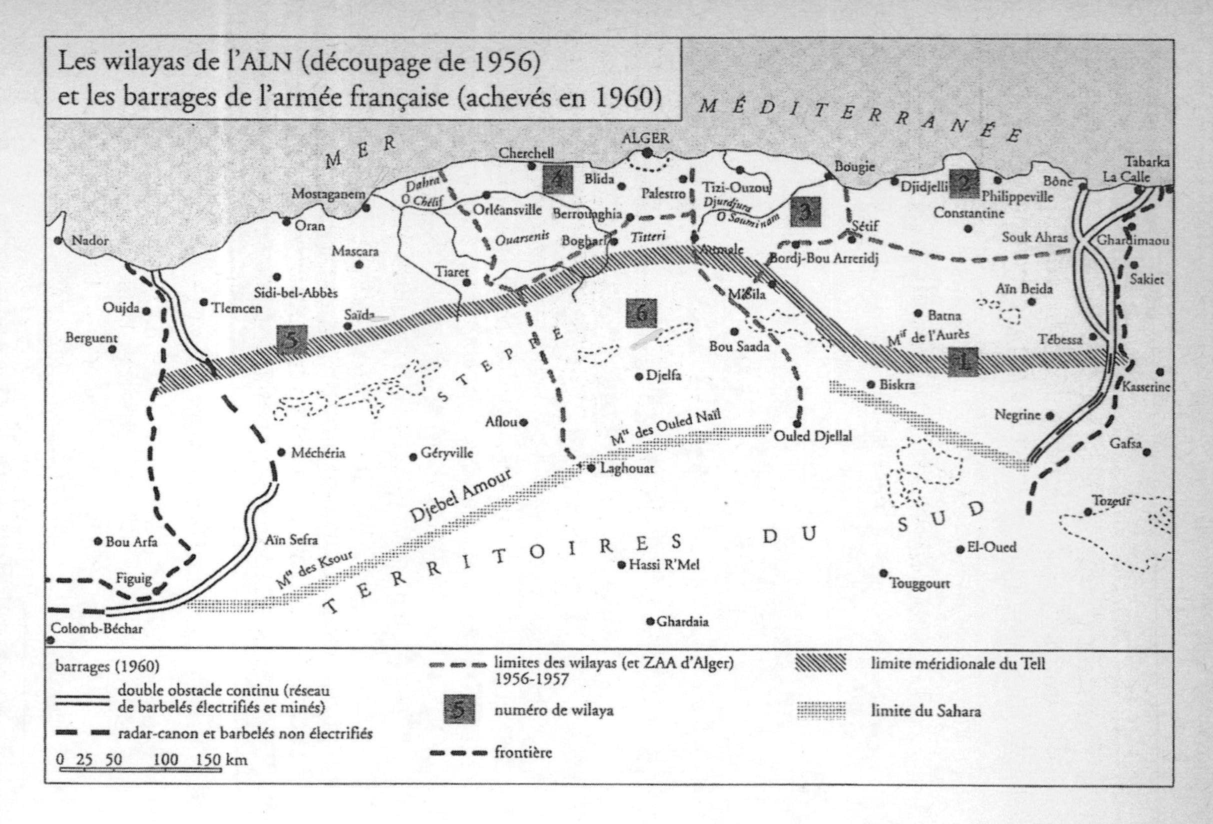

Les wilayas de l'ALN (découpage de 1956)
et les barrages de l'armée française (achevés en 1960)
MER MÉDITERRANÉE
STEPPE
TERRITOIRES DU SUD
ALGER
Cherchell
Blida
Palestro
Tizi-Ouzou
Djurdjura
O Soummam
Bougie
Djidjelli
Philippeville
Bône
La Calle
Tabarka
Constantine
Souk Ahras
Ghardimaou
Sakiet
Sétif
Bordj-Bou Arreridj
Aumale
M'Sila
Aïn Beida
Batna
Mᵗ de l'Aurès
Tébessa
Kasserine
Biskra
Negrine
Gafsa
Tozeur
El-Oued
Touggourt
Ouled Djellal
Bou Saada
Djelfa
Mᵗˢ des Ouled Naïl
Laghouat
Hassi R'Mel
Ghardaia
Aflou
Géryville
Djebel Amour
Titteri
Boghari
Berrouaghia
Orléansville
Ouarsenis
Dahra
O Chélif
Tiaret
Mostaganem
Oran
Mascara
Sidi-bel-Abbès
Saïda
Tlemcen
Oujda
Nador
Berguent
Méchéria
Aïn Sefra
Mᵗˢ des Ksour
Bou Arfa
Figuig
Colomb-Béchar
1 2 3 4 5 6
barrages (1960)
double obstacle continu (réseau de barbelés électrifiés et minés)
radar-canon et barbelés non électrifiés
0 25 50 100 150 km
limites des wilayas (et ZAA d'Alger) 1956-1957
numéro de wilaya
frontière
limite méridionale du Tell
limite du Sahara

COLONISATION, REVENDICATION, RÉPRESSION

Une colonisation féroce

Tout fut erratique dans la colonisation de « cette possession française dans le nord de l'Afrique » que le maréchal Soult fera nommer à tout hasard « Algérie » en 1839. [...] L'essentiel, depuis le débarquement de 35 000 hommes à Sidi-Ferruch, le 14 juin 1830, jusqu'à la prise d'Alger, le 5 juillet, fut d'abord une affaire de politique intérieure : la Restauration épuisée pensait redorer son blason en « *escarmouchant contre le dey* » pour calmer l'ardeur de ses opposants hexagonaux. En vain : les Trois Glorieuses parisiennes, à quelques jours de là, installeront Louis-Philippe. Dès lors, que faire là-bas, dans cette outre-Méditerranée où l'on avait posé à tout hasard un pied très hésitant ?

La réponse fut longtemps dilatoire. Ce sera une occupation « *restreinte, progressive et pacifique* », murmura d'abord le général Damrémont. C'était sous-estimer la guérilla qui s'installa aussitôt et à laquelle le *djihad*, proclamé dès le 26 juillet 1830 par des notables et des marabouts, donna un caractère de sauvagerie à la turque. Les « *colonnes guerroyantes* » à la française surent lui donner la réplique dans un raffinement de cruauté. Ce fut donc atroce d'emblée, avec raids et razzias, de représailles puis de pure terreur de part et d'autre, qui sacraliseront à jamais la violence sur cette terre violentée, avec yeux arrachés, femmes éventrées et seins cousus dans l'abdomen, égorgements méticuleux, paires d'oreilles sanglantes promenées dans les souks, tortures multiples. Des cascades de sang couleront toujours sur leurs deux pentes, aussi bien entre *bicots* et *roumis* qu'entre indigènes temporairement ralliés et rebelles de toujours, fanatisés pour l'occasion.

Puis vinrent les valses-hésitations de Paris, divisé entre les « *colonistes* », qui inventaient là-bas un nouveau Far West, et les « *anticolonistes* », libéraux soucieux de limiter toute dépense publique. La révolte sainte d'Abd el-Kader, difficilement matée par Bugeaud en 1843, au prix de nouvelles atrocités, en prélude aux installations de quelques « *soldats laboureurs* », a, non seulement ruiné tout espoir algérien de créer un jour un État maraboutique, mais accru la perplexité française. Ainsi le pays fut-il livré simultanément aux militaires, installant, dès 1844, des « *bureaux arabes* » respectueux du courage de l'adversaire, et à des fonctionnaires civils souvent médiocres et approximativement dirigés par un proconsul, le gouverneur général, qui appliquera à tout hasard les ordonnances puis les décrets pris à Paris par les gouvernants successifs, mais toujours sans aucun contrôle parlementaire, et dans un désintérêt chronique de l'opinion métropolitaine. Les trois départements du « *territoire national* » inventés par la IIe République, en 1848, resteront sous régime d'exception jusqu'en 1946 et rien, jamais, ne sera démocratiquement expliqué aux Français.

Napoléon III, séduit par la société mauresque lors de son voyage de 1860, donnera certes sa chance à l'idée saint-simonienne d'un « *royaume arabe* », respectueux d'une nationalité algérienne à construire, et préservant un droit à la terre pour les fellahs vaincus, face aux premiers colonisateurs raflant les meilleurs lots ou assainissant avec courage les zones néfastes. Tout était-il possible dès lors, dans ce mélange impérial de civilisation occidentale généreusement importée et d'orientalisme flamboyant qui excitait tant Delacroix, Chassériau et Fromentin ? Hélas ! non. Les terribles insurrections de la Kabylie, en 1857 comme en

1871, réveillèrent trop de violence pour que ne s'installent pas, dans un face-à-face sans espoir, le « *mécontentement sauvage* » des musulmans et « *l'ambition démesurée et dangereuse des colons* », comme disait le gouverneur général Randon. Resta donc longtemps très vrai le triste bilan dressé dès 1847 par Tocqueville : « *Autour de nous les lumières se sont éteintes. Nous avons rendu la société musulmane beaucoup plus misérable, plus désordonnée, plus ignorante et plus barbare qu'elle n'était avant de nous connaître.* »

C'est sous la IIIe République qu'on songea enfin à « *faire du colon* » en terre algérienne, à l'instar de la Rome antique. Ce fut un nouvel échec, malgré l'arrivée d'Alsaciens-Lorrains, de Corses, d'Alpins ou de Cévenols : la France déjà malthusienne n'aura jamais les moyens humains de peupler son outre-mer. En revanche, les étrangers plus prolifiques, Espagnols, Italiens, Maltais, sont dès 1886 presque aussi nombreux que les Français : 203 000 contre 220 000 en 1886. De leurs mélanges déjà si actifs naîtront les « Européens d'Algérie », mixte assez gaillard de francité de souche et de « néofrançais ». Pour leur faire place, la dépossession de la terre indigène s'accéléra et l'ordre du jour fut plutôt de faire suer le burnous : aux colons les bonnes terres du Tell, les grosses fermes bien assises, les villages coquets avec église et kiosque à musique ; aux indigènes l'aridité des terrains de parcours, les biens communaux ingrats, les gourbis du « village nègre » ou la précarité de l'ouvrier agricole à l'échine docile. Toutes les sophistications législatives et juridiques, parfois généreuses comme un remords, n'y feront rien : l'Européen pavoise, le musulman consent à être dominé et végète à l'écart d'un progrès authentique dont on lui jette à regret quelques miettes.

Néanmoins, une singulière et fascinante société coloniale, très Belle Époque, a pu fleurir dès les années 1890, pour à peu près un demi-siècle. La colonie européenne s'est hiérarchisée. Quel défilé ! Ruraux contre urbains, voici les opulents de la Mitidja dédaignant les prolos des grands ports, les colons infatués à la Borgeaud toisant les miséreux parents d'un Albert Camus, les ultras nationalistes transférant sur une France rêvée leur traumatisme d'avoir à vivre dans un pays sans nom et une patrie de hasard, les antisémites fin de siècle suivant un Max Régis plutôt que d'écouter la vaillance d'une communauté juive, émancipée dès 1870, et qui apporta tant à la formulation lucide d'une situation coloniale toujours humainement prometteuse. Voici les petits Blancs agités et colorés de tous les Bab el-Oued urbains, cohabitant avec les fonctionnaires policés venus en poste à Constantine comme on rejoint Romorantin. Voilà les piocheurs de terre caressant du regard leurs oranges, leurs blés et leurs vignes sur leurs chevaux du soleil. En 1954, 82 % des Européens d'Algérie vivront en ville, nourris de tous ces vieux rêves et de toute cette sueur, porteurs d'une culture plus folklorique qu'authentique, courant à la plage, fous de stades et de meetings, attablés aux terrasses, partageant la « *mana* » et le bal musette, pétris des codes d'honneur et des sociabilités de toute la Méditerranée nourricière. Vivants, cocasses parfois, toujours soucieux du paraître, claniques mais prêts à tout partager avec l'indigène... sauf, toujours, il va de soi, la terre, l'argent, la famille et la foi.

Ce petit monde des *Noces* et de *La Famille Hernandez* a surnagé en fait comme il pouvait, dans la coulée de haine ou de mépris qui bouillonne toujours, avec torture de *bicots* supposés coupables au fond des commissariats, humiliations multiples de tout *bronzé* qui ne cède pas le trottoir à temps. Un monde irrémédiablement brisé en deux a entretenu sans trêve la violence sociale, ethnique et religieuse des dépossédés indigènes contre les Européens spoliateurs. Même la pacification simili-républicaine des esprits n'a pas empêché les premières élites algériennes, instruites à la française, de rêver à un autre avenir, sous l'œil perplexe des rares Européens progressistes. Et pourtant, un autre sang partagé, au service de la France pendant les deux guerres mondiales, un autre partage de l'argent et du savoir à travers l'immigration d'Algériens en France, parachèveront dans les années trente et quarante un fragile élan du cœur qui fit croire fugitivement que tout serait possible encore, ou pouvait commencer enfin. Vint aussi le temps des jeunesses d'un Albert Camus et d'un Jules Roy, avec ses sociabilités possibles entre communautés rivales, ses gestes et ses musiques inventés de concert, ses bribes de respect et d'amour, ses esquisses de don et de contre don, ses passeurs de culture !

En 1954, la réalité des faits a tout balayé et a préparé un temps de sang et de larmes. Près d'un million d'Européens croisent alors en Algérie près de neuf millions de musulmans, avec des taux de natalité respectifs de 19 et 45 pour mille, et un taux de mortalité infantile affreusement échelonnée de 46 pour mille chez les premiers contre 181 pour les seconds : la démographie comparée a ruiné la colonisation dite « de peuplement » et déjà transféré la misère des campagnes algériennes vers les bidonvilles. Tous les enfants d'Européens sont scolarisés dans le primaire mais seul un petit Algérien sur cinq va à l'école et peut profiter de la « civilisation » française. Le salaire journalier moyen dans l'agriculture est de 1 000 francs (soit 18 euros) pour le roumi et 380 (soit 6,8 euros) pour l'indigène. Le statut politique assez neuf de 1947 n'a jamais été appliqué et les élections sont plus que jamais truquées, ce qui désespère la maigre élite politique algérienne décidée à faire encore un bout de chemin avec la France infidèle. La tradition de violence ruineuse a eu mieux qu'un sursaut avec la terrible répression militaire de l'insurrection du Nord-Constantinois après le 8 mai 1945.

Surtout, la guerre de 1939-1945 tenue pour émancipatrice à terme, l'émigration massive (400 000 Algériens travaillent dans nos usines et sur nos chantiers en France), la révolution économique et urbaine importée sur place ont fait voler un peu plus en éclats la société algérienne traditionnelle, broyée par ces tendances lourdes de la modernité et de l'échange, tandis que rien ne change politiquement et culturellement. L'impuissance coloniale a ainsi conduit une Algérie schizophrénique au bord de l'explosion. Comme le dira à Germaine Tillion un vieux Kabyle en 1957 : « *Vous nous avez emmenés au milieu du gué et vous nous y avez laissés »*. Et l'ethnologue de conclure : « *Ils se trouvent sur la charnière de deux mondes, hantés par le passé, enfiévrés par l'avenir, mais les mains vides et le ventre creux* ».

Jean-Pierre RIOUX, *1er juillet 2002*

Mai 1945 : répression à Sétif

« *Des éléments troubles, d'inspiration hitlérienne, se sont livrés à Sétif à une agression à main armée contre la population qui fêtait la capitulation (de l'Allemagne nazie). La police, aidée de l'armée, maintient l'ordre, et les autorités prennent toutes décisions utiles pour assurer la sécurité et réprimer les tentatives de désordre.* » C'est par ce communiqué lapidaire que le gouvernement général de l'Algérie annonce le drame qui a débuté quarante-huit heures plus tôt à Sétif, capitale des hauts plateaux de l'Est algérien et à Guelma. Pas un mot sur la terrible répression menée contre les populations musulmanes par l'armée aidée par les groupes d'autodéfense des colons. La métropole, toute à l'euphorie de la célébration de la victoire sur le nazisme, ne veut plus entendre parler de morts et de destruction. [...]

En 1945, la situation est critique en Algérie. Le pays connaît, du fait de la guerre et aussi de piètres années agricoles, une pénurie alimentaire catastrophique. La mauvaise conjoncture économique favorise l'émergence du mouvement nationaliste.

Trois mois avant les événements, on pouvait lire sur un tract circulant sous le manteau, dans les quartiers arabes de Sétif, un véritable appel à la révolte. « *Frères musulmans*, disait-il, *la vie de votre pays est en jeu, la colonisation avait organisé sa destruction physique et morale... Le respect de ce que nous sommes et de ce que nous possédons ne sera assuré que dans le cadre d'une nationalité algérienne avec un gou-*

vernement libre reposant sur la base de la souveraineté du peuple algérien, à l'exclusion de toute souveraineté d'un peuple étranger quelconque... C'est pour cet idéal que d'autres de vos frères continuent à lutter farouchement dans la légalité et surtout dans la clandestinité. Mais l'attitude de vos chefs ne signifie rien si le peuple, par ses actes, n'a pas la sagesse ou le courage de manifester sa solidarité avec eux. »

Le climat tendu devient rapidement explosif. Le 1er mai 1945, le Parti du peuple algérien (PPA, dissous en 1939) profite des manifestations organisées par la CGT pour réclamer la libération de son dirigeant Messali Hadj et lancer des slogans nationalistes. La répression est musclée à Alger et Oran, entraînant quelques morts et de nombreux blessés. Le 8 mai, le PPA revient à la charge à l'occasion des cérémonies officielles organisées pour célébrer l'armistice qui vient d'être signé en France. À Sétif, une foule houleuse, estimée à plus de 10 000 personnes, converge vers les quartiers européens. Le cortège, précédé par les scouts musulmans, suivi d'un bloc serré de femmes poussant des youyous stridents, est hérissé de pancartes : « Libérez Messali », « Nous voulons être vos égaux », « Istiqlal ! » (Indépendance), « L'Algérie aux Arabes ».

La vingtaine de gendarmes ne peut faire face à la foule surexcitée, qui se déchaîne lorsqu'ils tentent brutalement d'arracher les emblèmes brandis au-dessus des têtes : drapeaux des Alliés et, surtout, pour la première fois, la bannière algérienne, maladroitement cousue, verte et blanche frappée de l'étoile et du croissant rouges. La colère des manifestants se retourne contre les Français de la ville. Le président de la délégation spéciale et vingt-sept autres Européens sont tués, quarante-huit blessés. Le même jour, aux cris de « Djihad ! » (guerre sainte), des insurgés tuent et pillent dans la région montagneuse de Petite-Kabylie, entre Bejaïa (Bougie) et Jijel (Djidjelli). Guelma, Kherrata, Périgotville sont le théâtre d'émeutes qui prennent rapidement l'aspect d'une lutte contre les Européens. Le mouvement gagne une partie du Constantinois. Pendant une semaine, des Européens isolés et leur famille sont assassinés, des bourgs et des villages sont attaqués. Le nombre des colons tués est estimé à cent neuf et celui des blessés à plus d'une centaine. Mais les chiffres divergent : cent trois pour le ministère de l'Intérieur, quatre-vingt-huit selon le rapport Tubert.

La répression sera atroce, disproportionnée, mais à la mesure de la grande peur du gouvernement général et des Européens de voir les émeutes dégénérer en soulèvement général. Sous l'œil bienveillant des autorités, les colons s'organisent en milices d'autodéfense pour se protéger et venger leurs morts sur le champ. Le rapport Bergé – dont l'auteur est commissaire de police à Alger – est d'ailleurs très explicite sur leurs liens avec l'administration civile et militaire locale et sur la violence de leurs méthodes. « *Certains des miliciens se sont vantés d'avoir fait des hécatombes comme à l'ouverture de la chasse. L'un d'eux aurait tué à lui seul quatre-vingt-trois merles...* », souligne-t-il.

L'armée, assistée de la marine qui tire sur la côte et de l'aviation qui bombarde et mitraille aveuglement villages et mechtas, conduit, sous les ordres du général Duval, une répression brutale qu'approuve Paris. Deux croiseurs, le Triomphant et le Duguay-Trouin tirent, depuis la rade de Bejaïa, 800 coups de canon, dont près de 500 dans la seule région de Sétif. Une cinquantaine de mechtas sont incendiées. Ceux qui les fuient hommes, femmes, enfants, vieillards sont exécutés sommairement. Tous sont soupçonnés de participer à l'insurrection... Au total 10 000 hommes – légion étrangère, tabors marocains, tirailleurs sénégalais et algériens – sont engagés dans ce qui apparaît comme une véritable opération de guerre. Pourtant, selon les témoignages, les insurgés ne sont que faiblement armés : boussaadi (poignard local), fusils de chasse, bâtons.

L'Algérie connaît pendant plus de quinze jours un déchaînement de folie meurtrière et hystérique. [...] De nombreux musulmans, notamment les dirigeants et les militants du Parti du peuple algérien (PPA), des Amis du manifeste (dont Ferhat Abbas) et des oulémas (religieux) du département de Constantine, sont arrêtés. Des tribunaux militaires prononcent 2 000 condamnations, dont 151 à mort (28 personnes seront exécutées). [...]

La « pacification », selon l'euphémisme cher aux militaires, ne prendra fin que le 22 mai avec la reddition « officielle » des tribus, organisée comme un grand spectacle à la plage des Falaises, non loin de Kherrata. Combien aura-t-elle fait de victimes musulmanes ? Si la réalité de la répression et son extrême brutalité ne sont plus contestées, en revanche, la bataille des chiffres n'est pas encore terminée. Chercheurs et historiens ne semblent pas près de s'entendre sur un bilan précis. Une mission d'enquête, présidée par le général Tubert, avait pourtant été dépêchée sur les lieux avant d'être brusquement rappelée. Si elle a pu constater la peur de parler des témoins, notamment ceux dont des proches ont été tués et souvent enterrés clandestinement pour échapper à d'éventuelles représailles, du côté européen, l'imprécision est de mise.

Personne ne veut voir sortir la vérité : autorités, militaires, colons s'attachent à minimiser les massacres. Le général Duval, « le boucher du Constantinois », comme l'appelleront les Algériens et les quelques rares libéraux qui les soutiennent, dira à la commission Tubert : « *Les troupes ont pu tuer cinq à six cents indigènes* ». Le gouverneur général de l'Algérie, le socialiste SFIO Yves Chataigneau, fixe, arbitrairement, le bilan de la répression à 1 165 musulmans et 14 soldats français tués. Cependant, en privé, les militaires, avancent le chiffre de 6 000 à 8 000 victimes et certains milieux algérois tout comme le ministre des Affaires étrangères Georges Bidault, de 20 000. [...]

Selon André Prenant, géographe et spécialiste de la démographie algérienne, qui s'est rendu à Sétif dès son arrivée en Algérie en 1948, « *toute la région restait frappée de deuil. Il y avait des morts dans chaque famille... La répression de mai 1945 fut vraiment quelque chose d'effroyable. Je pense qu'il y a eu entre 20 000 et 25 000 victimes. Les familles se taisaient et n'osaient même pas déclarer leurs morts* ». Les historiens français se livrent depuis un demi-siècle à une bataille de chiffres morbide, basée sur des témoignages souvent sujets à caution. Ainsi Charles-Robert Âgeron parle de 2 000 morts ; Robert Avron de 6 000 et Benjamin Stora avance le chiffre de 15 000. [...]

Du côté algérien, la cause est entendue. Avec la conviction des victimes face au bourreau ; 45 000 morts, tel est le chiffre officiel qui tous les ans, à la date commémorative, alimente les chroniques du souvenir auxquelles vient se ressourcer le nationalisme algérien. L'ensemble des Algériens puise son ressentiment dans la version d'un génocide perpétré volontairement à la suite d'une provocation colonialiste.

[...] Mais il ne faut pas laisser les chiffres devenir l'arbre qui cache la forêt et occulter, avec cette sinistre arithmétique, l'événement en lui-même. Il y a bien eu une épouvantable répression qui a confiné au massacre d'une population désarmée. Il y a bien eu un « fait divers » sanglant qui s'inscrivait dans la droite ligne du fait colonial et des bouleversements nés de la seconde guerre mondiale. Les événements de Sétif et de Guelma ont, indubitablement, hâté la prise de conscience des Algériens colonisés.

Il apparut, soudain, à ces derniers, que s'ils constituaient d'excellentes « chairs à canon » pour les différents conflits auxquels pouvait se trouver confrontée la métropole, ils n'avaient pas à espérer un traitement égalitaire et un accès à la citoyenneté. Amer constat, qui allait servir, utilisé par les milieux nationalistes, de détonateur à la lutte armée enclenchée le 1er novembre 1954.

Ali Habib, *15 mai 1995*

1954

LE PASSAGE À LA LUTTE ARMÉE

Les premiers maquis

Que peut-on dire aujourd'hui de ce qui s'est passé le 1er novembre 1954 en Algérie ? Peut-on tirer la substance de ce que fut cet événement pour l'histoire d'un pays et d'un peuple ?

Ce qui frappe au premier abord, c'est le nombre terriblement limité de ces hommes du 1er novembre. À l'exception du massif des Aurès, sur lequel nous reviendrons plus loin, et peut-être de la Kabylie, ceux qui cette nuit-là avaient pris les armes pour passer à « l'action » contre la présence française en Algérie n'étaient que quelques dizaines, peut-être quelques centaines sans plus, pour un pays alors peuplé de neuf à dix millions d'habitants. « *Ce jour-là,* dit le discours officiel, *le peuple comme un seul homme s'est levé pour chasser le colonialisme oppresseur.* » La réalité est plus prosaïque.

Dans le nord du Constantinois, l'un des responsables des premiers groupes armés dirigés par Didouche Mourad nous rapporte que, pour toute la région placée sous son autorité, il n'y avait que vingt-quatre hommes pouvant être considérés comme membres de l'Armée de libération (*djounouds*) auxquels il faut ajouter onze hommes chargés du soutien et du renseignement (*fidaïs*). Si l'on en croit ce même responsable, Mostefa Benaouda, qui avait la responsabilité de la région de Bône (Annaba), n'avait en tout et pour tout que trois hommes sous son commandement. Seul Zighoud Youcef, qui dirigeait la région allant de Constantine à Philippeville (Skikda), disposait d'un effectif relativement important.

Voilà un premier point qui devait être dit. Un autre fait tout aussi important doit être souligné : pour tous ces hommes qui ont décidé de passer à la lutte armée dans le nord du Constantinois, il n'y avait que trente-deux armes. Ben Tobbal en avait douze et Zighoud Youcef les vingt autres. Badji Mokhtar, responsable de la région La Calle – Souk-Ahras, n'en avait reçu aucune et ne disposait que de l'arme qu'il avait déjà en tant que chef régional de la défunte Organisation spéciale (OS). Benaouda non plus n'avait rien reçu.

En guise d'armements, les hommes disposaient de fusils Statti, des mousquetons d'origine italienne déterrés au dernier moment de leurs caches dans les sous-bois des forêts, avec quelques pistolets à barillet de 9 millimètres et des cartouches pour la plupart hors d'usage.

Cette nuit-là, pour laquelle des hommes avaient tout sacrifié, pour laquelle ils avaient pris un billet sans retour vers une destination au trajet inconnu et dont la seule station devait être l'indépendance de l'Algérie, cette nuit-là, le feu d'artifice annoncé ne tint pas ses promesses. Il faut écouter le récit de ces hommes qui, après cette longue nuit, se sont retrouvés dans leur refuge pour mesurer l'ampleur de leur désarroi. Comment se convaincre qu'il s'agissait d'une journée historique quand tout semblait avoir si mal tourné ?

« *L'engagement était sincère, il n'y a pas de doute là-dessus, mais si la révolution ne se déclenche pas, c'est comme un détonateur qui ne fonctionne pas. Ça ne serait plus le commencement de la fin mais bien la fin de tout*[1]. » Telle était

---

1. Témoignage enregistré de L.S. Ben Tobbal, membre du PPA, de l'OS, du Comité des 22, chef de la wilaya II, membre du GPRA et négociateur à Évian.

la pensée d'un de ceux qui avaient à assumer la lourde responsabilité du « passage à l'action ». Ils appartenaient à une organisation politique révolutionnaire qui s'était donné pour nom Front de libération nationale. Leur but, l'indépendance nationale, devait être atteint par « l'action » ; et si celle-ci était dirigée principalement contre le colonialisme, elle se voulait aussi une rupture radicale avec la voie et les méthodes du Mouvement national. Car tous avaient appartenu à ce mouvement. Ils étaient tous membres du MTLD[1] et de son Organisation spéciale, chargée par le congrès de 1947 de former les cadres du combat libérateur. En 1951, ils avaient acquis la certitude que la direction de leur parti avait dévié de la voie tracée et qu'elle les avait abandonnés à leur sort. Ces « irréguliers », qui avaient échappé aux arrestations et à la liquidation physique, étaient déjà sur le pied de guerre. Ils vivaient dans les maquis clandestins de Kabylie et des Aurès.

Là ils découvrent que le pays est divisé en territoires et en zones d'influences tribales. Le PPA-MTLD lui-même doit tenir compte de ces pesanteurs sociologiques car, contrairement à la ville et à ses banlieues, ce sont les structures et les modalités coutumières qui balisent les relations et, en particulier, la relation au pouvoir. Dans ces régions, tout le monde est convaincu de la nécessité de bouter l'étranger hors du pays ; seul le langage des armes peut être compris.

D'ailleurs ici, tout homme digne de ce nom dispose de son arme ; depuis des lustres, les Aurès-Nemencha ont été des voies de passage d'armes de guerre, dont l'une des sources partait de Libye, où d'importants stocks de la Première et de la Seconde Guerres mondiales faisaient l'objet de trafic. Voilà pourquoi ce responsable du secteur d'Arris n'oublie pas de mentionner le fait : « *La première nuit, nous étions*

1. Mouvement pour le triomphe des libertés démocratiques, nom que s'est donné le Parti du peuple algérien (PPA) en 1946 pour se présenter aux élections à l'Assemblée nationale.

au lieu-dit El Hadjadj. Il y avait environ trois cent cinquante djounouds. Ceux qui étaient à Bar-el-Qûas étaient entre cent et cent cinquante. Nos armes étaient de différents types : Statti, Garant, Mauser. [...] Ce que j'ai vu personnellement, c'est que tous ceux qui ont rejoint l'ALN l'ont fait avec leurs propres armes. On avait d'ailleurs coutume de les acheter nous-mêmes [1]. »

De ce témoignage ressortent deux conséquences essentielles qui distingueront la région des Aurès-Nemencha de toutes les autres du pays. La première, c'est que, là, tous les hommes sont égaux et libres de leur choix. Il n'y a pas le politique d'un côté et le militaire de l'autre ; le politique, c'est le *djoundi*, et la seule organisation que l'on reconnaisse, c'est l'Armée de libération nationale. Contrairement à la ville, le mode d'adhésion est celui de la cooptation, et le plébiscite se fait sous la forme de l'allégeance au chef qui répond le plus à l'ethos de la résistance à l'étranger.

Mostefa Ben Boulaïd remplissait ces conditions, auxquelles s'ajoutaient celles de chef régional du MTLD, membre du comité central du parti. Cette massive adhésion de la région à l'homme et le fait que celle-ci ait connu la plus grande levée de troupes au 1er novembre vont avoir de profondes conséquences dans le devenir de la révolution algérienne.

La seconde conséquence tient de la ligne générale adoptée dès 1947 par l'OS du PPA-MTLD, qui se trouve prise en défaut dans les contreforts de ce massif montagneux. Dans son intervention devant le congrès du parti, Aït Ahmed, alors rapporteur de l'OS, déclarait : « *Aussi bien, la guerre révolutionnaire est la seule forme de lutte adéquate aux conditions qui prévalent dans notre pays. C'est la guerre populaire. Il importe de préciser que nous n'entendons pas par là des levées en masse.* [...] *Par guerre populaire, nous entendons guerre des partisans menée par les avant-gardes*

1. Témoignage enregistré de L. Oucifi, responsable de groupes armés en région d'Arris (Aurès).

militairement organisées des masses populaires, elles-mêmes politiquement mobilisées et solidement encadrées[1]. »

Ici, c'est d'une certaine façon le peuple en armes qui se lève massivement. Il n'est donc pas étonnant que ce soit là que se sont déroulées les premières et les plus grandes batailles de la guerre de libération ; mais aussi là qu'apparaîtront les premiers signes de la lutte pour le pouvoir entre civils et militaires.

Partout ailleurs, des avant-gardes certes, mais dans un milieu sinon hostile, du moins relativement circonspect. Amar Ouamrane qui, avec un détachement venu de Kabylie, avait la charge des premières opérations dans Alger et sa région, parle de la terrible solitude des premiers groupes armés : « *Nous avons passé près de six mois réfugiés chez Yacef Saadi. Il était le seul dans tout Alger sur qui nous pouvions compter jusqu'à ce que nous trouvions un autre refuge au boulevard de Verdun (Aïssat-Idir), chez un certain Hacène Askri*[2]. »

Tout comme lui, les chefs du nord du Constantinois avaient dû compter sur eux-mêmes, car le parti et ses cadres n'avaient pas suivi l'appel lancé par le FLN. Didouche Mourad avait vainement tenté de convaincre les militants de Skikda, la plus forte section du MTLD en 1954 ; il avait rencontré Cheikh Belkacem El Beidaoui, chef de la wilaya MTLD de Constantine, messaliste convaincu, sans guère obtenir de résultat : même le groupe de Constantine, qui avait participé au Comité des 22[3], avait fait défection.

---

1. *Les Archives de la révolution algérienne*, M. Harbi, Jeune Afrique, p. 23.
2. Témoignage enregistré d'A. Ouamrane, un des premiers maquisards ayant pris les armes dès les années quarante, colonel de l'ALN, chef de la wilaya IV, membre du comité de coordination et d'exécution du FLN, ministre du GPRA.
3. Comité des 22, ainsi dénommé en raison du nombre de ceux qui s'étaient réunis dans une villa de la Redoute à Alger pour décider du déclenchement de la lutte armée et fonder le FLN. Chargé de cours en histoire contemporaine à l'université d'Alger.

On ne pourra donc pas comprendre vraiment ce qui se passait dans l'esprit de ces hommes du 1er novembre 1954, qui, repliés dans leurs réduits des grandes villes ou dans leurs sommaires refuges de montagne, commençaient à spéculer sur la portée de l'action qu'ils venaient d'entreprendre. Leur grand désarroi était justement dû au fait qu'ils n'avaient aucun moyen de savoir si, ce jour-là à la même heure, quelque chose s'était passé partout dans le pays. Car si cela était vraiment le cas, alors c'était le commencement de la fin pour le colonialisme en Algérie.

Ces hommes, donc, avaient en fait, avec des armes désuètes, des cartouches périmées et quelques bâtons de dynamite, défié l'Histoire. Ils avaient d'abord lancé une attaque frontale contre le système colonial, fort de son siècle et demi de domination et de son million de colons installés à demeure. Ils avaient lancé aussi une attaque contre les partis réformistes et le gradualisme à la Bourguiba. Ils avaient défié leur propre parti et le père fondateur, Messali Hadj. [...]

Djerbal DAHO, *7 novembre 1994*

Germaine Tillon témoigne

Le 24 novembre 1954, le professeur Louis Massignon me téléphonait pour me fixer un rendez-vous urgent et je le rencontrais le soir même. Auparavant, il m'avait envoyé le pneumatique suivant : « *Je voudrais être sûr qu'on vous a consultée, parmi les spécialistes de l'Aurès, en cette affreuse crise. Sinon, comme je vois Mitterrand, demain 25 à midi, et que je voudrais qu'il vous y envoie, prenez contact avec moi. En grand respect et amitié.* »

[...] Le lendemain, comme convenu, nous fûmes reçus par M. Mitterrand, alors ministre de l'Intérieur dans le gouvernement de Pierre Mendès France. Il me chargea aussitôt d'une mission de deux mois pour m'informer du sort des populations civiles algériennes. Comment ? Avec quels moyens ? Cela ne fut pas précisé.

Pétrie de civisme, je refis ma valise, non sans être allée dans les services du ministère demander un ordre écrit. M'enquérir du sort des populations les plus démunies d'Algérie, cela me convenait puisque je les connaissais bien et de longue date. En revanche, je me demandais comment circuler sans papiers dans un pays en guerre. On m'assura que cet ordre ne pouvait être remis qu'à Alger par le cabinet du gouverneur, et que c'était là une mesure de courtoisie usuelle entre les deux centres de pouvoir. Je pris donc le train, puis le bateau, nantie uniquement de trois adresses dont m'avait pourvue le professeur Massignon, celles de trois amis sincères des deux populations maghrébines. Ce qui, en 1954, pouvait encore se rencontrer.

Dans les bureaux du Gouvernement général, deux membres du cabinet me reçurent, soucieux l'un et l'autre de ne me remettre aucun document écrit. « Pour ne pas empiéter sur les prérogatives du préfet de Constantine », m'assurèrent-ils. Il est vrai que le gouverneur Léonard, haut fonctionnaire métropolitain, avait été nommé par un ministère précédent, et que, en Algérie, l'opinion publique c'est-à-dire celle de la minorité française avait d'emblée espéré que l'équipe Mendès France aurait une courte vie. De tout cela, je n'avais pas encore pleine conscience, n'ayant pratiqué antérieurement ni les administrations ni les cabinets ministériels, mais seulement les bancs de la Sorbonne, les ruses archaïques des nomades berbères et les candeurs de la Résistance. Je veux dire celles des premiers mois.

Avant de quitter Alger, je rendis visite aux gens que j'y connaissais et j'aurais pu déduire de leurs conversations que le paysage politique n'avait guère changé depuis mai 1940, date à laquelle j'avais quitté l'Algérie après quatre longues missions ethnographiques dans l'Aurès. On m'y parla beaucoup des partisans de Messali Hadj et de Ferhat Abbas, mais très peu d'une nouvelle formation dite FLN.

Grâce à ces quelques visites, un de mes anciens employés chaouïas, devenu, à Alger, un riche commerçant, apprit ma présence et vint me saluer à l'hôtel. Sachant qu'il était un personnage dans le parti messaliste, je me serais bien gardée de lui poser des questions s'il ne l'avait pas fait lui-même et avec une perceptible anxiété. En particulier – à ma surprise – sur ce mystérieux FLN, dont j'ignorais tout.

Dans le train de Constantine, les rares voyageurs étaient des « pieds-noirs » (expression que je n'avais jamais entendue entre 1934 et 1940). Ils racontaient des histoires et de préférence sur la population rivale qu'ils appelaient « arabe », bien qu'elle ne fût guère plus arabe qu'eux-mêmes. Les Maghrébins musulmans sont en effet des Berbères ou des Berbères arabisés, mais les Maghrébins chrétiens (majoritairement maltais ou espagnols) furent presque autant arabisés que les musulmans.

Qu'importe les appellations, puisque deux termes suffisent pour désigner des gens qui s'affrontent ou vont s'affronter, ceux de « minoritaires » et de « majoritaires ». Des minoritaires craignant pour leurs privilèges puis pour leur vie, des majoritaires frustrés, dont le nombre et la misère vont doubler à chaque génération.

À Constantine, le superpréfet ne me remit aucun papier justifiant ma présence, mais dans les semaines suivantes je pus aller où je voulais. Avant de quitter la ville, je pris rendez-vous avec les fonctionnaires « *qui connaissaient le pays et pouvaient m'éclairer* » mais, à tout hasard, je pris garde de ne pas aller voir quelques vieux amis musulmans car j'avais déjà peur de les compromettre.

[...] Pour aller à Batna, une voiture militaire fut mise à ma disposition. À l'arrivée, un jeune soldat vérifia les papiers du chauffeur, pendant qu'un autre fouillait un vieux berger en djellaba, tout en laissant passer deux hommes pantalonnés à l'européenne. Le paysan, effrayé, levait les bras au ciel. Scène que j'avais vue maintes fois, entre 1940 et 1942, à Paris, mais jamais, entre 1934 et 1940, en Algérie... Ce fut le premier choc.

À Batna, je pris contact avec les officiels puis avec plusieurs familles algériennes que je n'avais pas revues depuis quatorze ans. Ce fut le second choc de ce retour, car on m'y parla aussitôt du drame de Sétif. [...]

Neuf ans plus tard, le premier attentat de la « guerre de huit ans » eut lieu dans le car Biskra-Arris, sous les yeux de nombreux passagers aurésiens. Les « coupeurs de route » (fellaghas) arrêtèrent le bus, firent descendre ses occupants puis, indécis, leur dirent de remonter. Le caïd Saddoq aurait alors sorti son revolver et fut aussitôt tué par une giclée de balles, tandis qu'une autre balle blessait mortellement l'instituteur Monnerot et qu'une troisième atteignait sa jeune femme[1]...

L'instituteur mourut pendant son transport à Arris, sa femme survécut. Cet attentat constitua longtemps, pour la révolte, une véritable contre-propagande, car les Aurésiens considéraient leurs instituteurs comme des hôtes et ils savaient tous que le jeune couple, si tragiquement désuni, n'était venu de France que pour instruire leurs gosses...

Les déclencheurs de l'insurrection voulaient entraîner les masses. Finalement, ils y réussirent. Mais, en 1954 et en 1955, le pays ne suivait pas et, pendant quelques mois, de part et d'autre, on parut se démarquer des massacreurs de Sétif. Des droits politiques égaux pour tous les Algériens ? Une consultation populaire contrôlée et la paix ? L'indépendance au bout ? Chimères car les « pieds-noirs » n'entendaient rien céder de leurs privilèges et le FLN voulait « sa » guerre...

En attendant les atrocités, dans les cantines et les hôpitaux de campagne, les jeunes médecins militaires se frottaient, pour la première fois, aux réalités quotidiennes de l'Algérie ; elles les émouvaient davantage que les poteaux télégraphiques mis à mal par l'insurrection. Le médecin de Tadjemout commandait, chaque semaine, à un épicier de Biskra, des caisses de lait en poudre, afin de remettre sur

1. Pour la plupart des historiens de la période, la mort de l'instituteur Guy Monnerot est un accident. Sa veuve, Jacqueline Monnerot, blessée lors de la fusillade, est décédée en novembre 1994.

pied les nombreux enfants malades que les parents lui apportaient. « *Malades ?* me disait-il. *Ils ne sont malades que de faim...* »

Quatorze ans plus tôt, j'avais, quant à moi, mesuré à un gramme près les ressources et les besoins de chaque famille. Je les revoyais maintenant, une à une, avec des besoins qui avaient doublé et des ressources qu'amenuisaient les gaspillages de la grande misère. J'entrepris alors de noter les étapes de cette « clochardisation » des pays sans école, ceux que l'on appelle « le tiers-monde ».

Germaine TILLON, *4 novembre 1994*

L'économie algérienne

Il y a maintenant quatre mois que l'insurrection a éclaté en Algérie : pour la première fois depuis la conquête, en dépit de quelques excès, elle n'a pas fait l'objet d'une répression massive et aveugle : constatons simplement ce fait, sans vainement chercher à établir les causes ou à en évaluer les répercussions. Constatons également que cette attitude a été imposée de Paris, et que la majorité des Européens de ce pays la déplorent, évoquent avec nostalgie les massacres d'antan, citent volontiers en exemple la conduite des Nord-Américains envers les Indiens, justifient leur position par la méconnaissance absolue de la valeur de la tolérance chez les Arabes et, somme toute, ne reconnaissent pas le génocide comme un crime et son recul comme un progrès de l'humanité.

Les niveaux de vie

La misère est un phénomène stable, et le Français frais débarqué est toujours étonné de mesurer à quel point son compatriote installé dans le pays s'est si bien accoutumé à ce spectacle de mendiants, de bidonvilles, de gourbis, d'hommes marchant sans fin pieds nus dans la poussière au bord des routes, que littéralement il ne les voit plus.

L'économie algérienne est très différente de l'économie de la France, mais ses caractéristiques se retrouvent sensiblement dans près de la moitié du globe deux systèmes économiques coexistent sur le même territoire, presque sans contacts entre eux.

Les Européens ont apporté des activités fondées sur l'exploitation des progrès techniques, la division du travail et les échanges monétaires : ils sont en Algérie un million, et huit cent mille musulmans environ se sont agrégés au système. Ensemble ils ne forment qu'un cinquième de la population, mais ils suffisent à assurer le fonctionnement de toute la partie moderne du pays, la seule visible à nos yeux : commerce, industrie, transports, professions libérales, agriculture d'exportation (vigne, agrumes, maraîchage...), administration.

Il n'y a pas de raison de penser que leur pouvoir d'achat moyen soit bien différent de celui du Français de métropole.

En général les éléments d'origine européenne occupent les emplois supérieurs. Leur niveau de vie est nettement plus élevé que la moyenne, malgré quelques brillantes exceptions musulmanes.

Les autres, soit plus de sept millions, continuent à vivre en circuit presque fermé : la majeure partie de ce qu'ils produisent est consommée à l'intérieur du cadre familial, lequel est plus large que le nôtre. Tissus, sucre, thé, en quantités d'ailleurs croissantes, sont leurs seuls achats courants.

D'après des évaluations dignes de foi, leur minimum vital équivaut à 25 000 francs par personne et par an [1]. Le salaire minimum agricole est fixé depuis avril 1955 de 340 à 427 francs, soit de 6 à 7,6 euros 2002 par jour, suivant les zones. Il faut tenir compte à cet égard du fait que ceux qui travaillent trois cents jours par an sont des privilégiés et que les tarifs officiels ne sont pas toujours respectés, le

1. Il s'agit de francs de 1955, soit 445 euros.

contrôle étant peu organisé ; en revanche, il est rare que les ouvriers agricoles ne bénéficient pas d'avantages en nature.

Il n'y a pas, d'ailleurs, de travail pour tous. Un million d'hommes algériens sont sans emploi : huit cent mille demeurés dans le bled, cent mille en ville, s'entassant dans les bidonvilles ou la Casbah d'Alger, cent mille en métropole, qui n'ont pu se faire embaucher, bien souvent parce qu'ils sont partis sans un minimum de capacités. Le chômage tend plutôt à s'aggraver, d'une manière générale, à cause de l'accroissement de la population, et brutalement cette année dans les régions de colonisation parce que les colons ont réduit au minimum tous les travaux d'entretien ou d'améliorations qui ne sont pas strictement indispensables à la récolte en cours.

La démographie

Le taux de natalité a peu augmenté, celui de la mortalité a beaucoup diminué : cette double évolution, due au progrès de la médecine plus qu'à ceux de l'hygiène, est sans doute l'œuvre la plus marquante des Français en Algérie. Le résultat en est une progression annuelle de la population qui, inférieure à 2 % jusqu'en 1950, s'élève actuellement à 2,6 %, soit deux cent cinquante mille jeunes enfants : augmentation sensiblement égale, en nombre absolu, à celle de la population métropolitaine, près de cinq fois plus nombreuse.

Cette « exubérance démographique », dont le rythme actuel est tout récent, est en passe de devenir la tarte à la crème des commentaires officiels : son influence sur l'économie du pays, et particulièrement sur le niveau de vie de ses habitants, ne doit pas être considérée comme exclusive ni même prépondérante ; elle constitue un facteur certes important, mais ne saurait suffire à expliquer le fait que le niveau de vie français est supérieur de l'ordre de 1 000 % à celui des musulmans. Il est possible d'affirmer que le problème posé ne serait pas fondamentalement différent si la population avait continué à se développer à un taux normal, de 1 % chaque année par exemple. [...]

Les finances

Avant de parler en Algérie d'investissements, de modernisation, de développement économique, il paraît d'abord nécessaire de « lever l'hypothèque » financière.

Celle-ci n'a pas toujours été un vain mot : l'administrateur d'une commune mixte de Kabylie nous confiait que sur le territoire dont il a la charge les réalisations de pistes et d'écoles avaient été menées à un rythme normal jusqu'au début du siècle. Alors l'Algérie a été dotée d'un budget autonome voté par les délégations financières, émanation en fait des contribuables locaux. Les deniers de l'Algérie ont été gérés avec l'état d'esprit d'une assemblée censitaire, le maintien des impôts à un niveau très bas étant la première et presque unique préoccupation. Aussi les dépenses d'équipement furent-elles comprimées en deçà du minimum raisonnable, et seuls quelques ouvrages de nature à favoriser la grande agriculture ont-ils été menés à bien pendant cette période.

Après la Libération, l'intervention de la métropole dans l'équipement de l'Algérie est redevenue prépondérante : mais un retard d'un demi-siècle est maintenant à combler. [...] L'effort accompli depuis quelques années, sous l'impulsion de la métropole, malgré les réserves de la population locale d'origine européenne (trop d'écoles, trop d'hôpitaux), a provoqué un gonflement rapide des dépenses [...] mais les recettes fiscales qui en découlent n'ont pas suivi au même rythme. Aussi la France a-t-elle dû participer de plus en plus au budget de l'Algérie.

Un autre déséquilibre est souvent déploré, celui du commerce extérieur : en 1954, les achats à l'extérieur n'ont été couverts par les ventes qu'à concurrence des deux tiers environ. Il y a donc déficit, mais ce terme habituel de déficit correspond à une réalité plus comptable qu'économique ; car il signifie en fait un apport net de l'extérieur, très souhaitable lorsqu'il s'agit d'un pays ayant peu de ressources intérieures, surtout si parmi les importations se trouve une part importante de biens d'équipement. [...]

L'industrie

Les trois quarts des ouvriers algériens sont employés dans des entreprises de travaux publics et de bâtiment ; les autres, soit cinquante mille environ, sont partagés entre les mines et les industries légères de transformation. Les usines créées depuis la guerre, soit pendant les dix dernières années, et agréées au plan d'industrialisation, fournissent 15 000 à 20 000 emplois. [...]

Les débouchés sont limités : l'Algérie est un pays de neuf millions d'habitants mais de deux millions de clients à peine. Encore, ces deux millions de clients sont-ils dispersés sur plus de 1 000 kilomètres, de Tlemcen à Bône. Or ces villes sont à distance égale de Marseille – et les transports maritimes sont moins coûteux que les transports terrestres. La marchandise venue de France ne supporte aucun droit de douane à l'entrée en Algérie : il y a unité douanière entre les deux pays.

L'agriculture

À l'inverse de ce qui se passe en France, l'exode rural ne découle pas d'un facteur positif – le besoin de main-d'œuvre urbaine –, mais il consiste en un phénomène purement négatif – la désertion d'un sol qui ne nourrit plus. C'est pourquoi l'entreprise généreuse de résorption des bidonvilles est une tâche sans fin et assez stérile, car tout ce qui sera réalisé dans les villes sera connu dans le bled et contribuera à renforcer encore la séduction de banlieues sans espoir et à accélérer la création de nouveaux bidonvilles.

Il faut prendre garde de ne pas céder aux clichés : au colon richissime les bonnes terres enlevées aux indigènes ; à l'Arabe le sol pauvre qu'il doit péniblement gratter. Il y a là, bien sûr, une part de vérité, mais une description correcte nécessite l'introduction de nombre de nuances.

Est-il nécessaire d'abord de rappeler que les Européens ayant des intérêts dans l'agriculture sont bien, politiquement et économiquement, dominants, mais ne forment qu'une petite minorité ? La plupart des habitants de l'Algérie d'origine européenne sont commerçants, employés, fonctionnaires, ouvriers, ou exercent des professions libérales. Sur un plan spécifiquement agricole, précisons que beaucoup des bonnes terres actuelles n'étaient que marécages lorsque des Français en ont pris possession ; que les gros propriétaires comptent parmi eux un nombre appréciable de musulmans ; que, dans leur majorité, les colons sont loin d'être misérables, mais travaillent personnellement leur domaine ; que chaque année, depuis dix ans, les musulmans ont racheté de la terre appartenant aux Européens ; enfin que dans certains secteurs privilégiés des fellahs ont reçu l'aide nécessaire pour améliorer leur mode de culture ou d'élevage.

Face à ces multiples catégories d'agriculteurs, il faut distinguer deux agricultures : l'une utilise des procédés modernes, est orientée vers l'exportation et n'apporte de ressources à la masse de la population que par les salaires qu'elle distribue ; l'autre, traditionnelle dans ses méthodes, a pour but essentiel de satisfaire à la consommation familiale ; la main-d'œuvre qu'elle utilise est rémunérée en nature.

L'agriculture moderne a bénéficié depuis la guerre de travaux d'irrigation coûteux, qui se sont révélés inutiles puisqu'ils sont inutilisés : le volume de l'eau vendue et les superficies irriguées n'augmentent pas, alors que les périmètres irrigables s'accroissent chaque année.

La plupart des progrès techniques se traduisent par une mécanisation plus poussée, et par conséquent une diminution de la main-d'œuvre employée.

À l'exception des agrumes, pour lesquels les plantations faites il y a quelques années arrivent progressivement à leur période productive, les récoltes ne s'accroissent pas, et aucun nouvel essor ne paraît à prévoir. [...]

Tout le monde s'accorde à penser que, sans un effort considérable d'éducation générale et technique des fellahs, une réforme agraire se traduirait par une régression économique. Or cet effort d'éducation est tout juste esquissé en faveur des fellahs déjà propriétaires de leur terre. Aussi ne paraît-il pas indiqué, sauf pour des raisons politiques ou sentimentales, de donner des responsabilités d'exploitation à de nouveaux fellahs, alors que tant d'entre eux ne possèdent pas les connaissances techniques requises. La réforme agraire ? On en reparlera plus sérieusement lorsque la modernisation de l'agriculture traditionnelle sera plus avancée. Il est donc indispensable de créer un service de modernisation rurale qui soit véritablement le maître de l'affaire. [...]

La scolarisation

Après plus d'un siècle de présence française où en sommes-nous ? Au 1er janvier 1955, l'enseignement primaire comptait 480 000 élèves. Or, à côté de 180 000 enfants européens de cinq à quatorze ans tous scolarisés, 2 400 000 petits musulmans du même âge vivaient en Algérie : 300 000 d'entre eux, soit 1 sur 8, avaient trouvé place à l'école. Au recensement de 1948, un musulman sur dix avait déclaré savoir parler le français. Dans ces conditions on ne peut évidemment faire état d'influence ou de pénétration de la culture française en profondeur.

Un réel effort est actuellement entrepris. Où conduit-il ? Tout visiteur se voit montrer des écoles neuves : on lui apprend qu'en moyenne chaque jour deux écoles nouvelles sont inaugurées. Le plan de scolarisation de vingt ans dressé en 1944 comportait 660 classes nouvelles pour 1955, soit un peu plus de 25 000 places ; or la natalité des Européens est stable alors qu'il naît chaque année environ 5 000 musulmans de plus que l'année précédente. À ce rythme, l'ensemble de la population serait scolarisé dans cent vingt ans, mais son accélération progressive, prévue dès 1944 et rigoureusement observée pendant les dix premières années, devait réduire ce délai à cinquante ans environ.

Pour la scolarisation comme pour le secteur d'amélioration rurale ou le lancement d'industries en Algérie, l'argent ne suffit pas, ni son emploi judicieux, ni même l'impulsion d'hommes compétents et généreux. Le facteur essentiel sans lequel tout ira à l'échec c'est la participation active des populations intéressées. Soyons francs : ce désir on le trouve de moins en moins tant chez les musulmans que chez les Européens. Comment s'attaquer à la grande œuvre de rénovation de ce pays et de ses habitants si « le cœur n'y est pas » ?

Philippe MINAY, *24-28 et 30 novembre 1955*

1955

LE FLN PREND RACINE

25 janvier : Jacques Soustelle est nommé gouverneur général de l'Algérie. Le 15 février, il est fraîchement accueilli à Alger par les Algérois non musulmans.

28 mars : Soustelle rencontre clandestinement une délégation algérienne.

8 juillet : le FLN crée l'UGEMA, l'Union générale des étudiants musulmans d'Algérie.

20-21 août : émeutes dans le Constantinois, 123 morts dont 71 Européens. La répression fera officiellement 1 273 morts.

23 août : le gouvernement décide le rappel du demi-contingent libéré en avril et le maintien sous les drapeaux du premier contingent de 1954.

30 septembre : l'assemblée de l'ONU inscrit à son ordre du jour la question algérienne.

L'heure de la répression dans le Constantinois

La route monte abrupte vers le col des Oliviers, et le convoi s'étire, longue chenille grise de poussière. Dans la Jeep de tête, le jeune capitaine parachutiste qui commande le détachement de protection me parle avec nostalgie de la France et des influences lénifiantes de Pau, où sa famille depuis dix mois attend qu'il revienne.

S'il n'y avait à mes côtés le petit gars qui, le doigt sur la détente de sa mitraillette, surveille les pentes dénudées du bled sans prêter la moindre attention à nos propos, je croirais faire une excursion dominicale classique sous le soleil torride du Constantinois. Et puis, de temps en temps, fugitive mais précise, une image nous ramène à la réalité du jour : un hameau qui brûle, une maison criblée de balles, un pan de mur écroulé dont les « paras » ont fait un nid de mitrailleuses, un camp de toile devant lequel, torse nu, des Sénégalais somnolent.

À El-Arrouch, les « paras » nous abandonnent, et je me hisse dans un camion de « tringlots » qui, réflexion faite, se décident à poursuivre sur Constantine. La route aujourd'hui est sûre dans ce secteur voué pour deux jours aux seules opérations de nettoyage. Et, de fait, passé le col on commence à croiser sur la descente les automitrailleuses qui tout à l'heure vont faire payer rudement à certains villages les exploits des fellaghas.

Cinq cents morts ?...

Un communiqué laconique l'a annoncé hier. Considérant que dix mechtas ont servi samedi de « foyers de rébellion », les commandos ont été chargés de les détruire. Il s'agit de hameaux situés sur les trois communes de Condé-Smendou, Oued-Zenati et Hammam-Meskoutine. Le procédé est simple : les femmes et les enfants sont autorisés à sortir des gourbis, puis la mechta est anéantie...

Imperturbable cependant, le commandement fournit des chiffres incontrôlables sur le décompte des morts. Il s'élevait officiellement dimanche soir à cent dix du côté français, ce qui est assurément exact, et à cinq cent vingt et un du côté rebelle. Selon les estimations faites par des militaires de sang-froid, on pourra dès ce soir, disent-ils, ajouter un zéro à ce chiffre.

La journée de lundi dans l'ensemble a été calme du côté français. Quelques rares escarmouches ont fait cependant des morts, particulièrement vers la Kabylie, et l'on signalait dans la soirée, entre autres, l'attaque d'un convoi près d'El-Millia, où l'administrateur, M. Raynaud, était grièvement blessé à la tête. À Guelma, attaqué la veille, la situation était pleinement rétablie après extermination d'une centaine de rebelles.

La haine

À quelques kilomètres de distance on distingue parfaitement les villages qui ont subi l'attaque des fellaghas, et ceux qui sont restés paisibles. Dans les premiers il n'y a plus un Arabe. Pris de panique à l'idée d'être tenus pour responsables (et de fait, rares sont ceux qui n'ont pas suivi le mouvement dès qu'ils ont vu paraître les hors-la-loi), les Arabes ont pris le maquis, laissant le terrain à la troupe et aux colons. Ceux-ci, encore bouleversés par les massacres auxquels ils ont échappé et surexcités par les récits qui leur parviennent des villages voisins, ont désormais les réflexes rapides. La stupeur qui les a saisis devant l'ampleur de l'émeute et le fait que certains de leurs plus fidèles serviteurs y ont participé aux premiers rangs, n'hésitant pas à tuer à coups de hache femmes et enfants en bas âge, en ont fait subitement des hommes ivres de vengeance. Reprenant une vieille antienne que j'ai déjà souvent entendue ailleurs, l'un d'eux m'a dit : « *Je tire d'abord et puis après je regarde si c'est un bon ou un mauvais* ».

La haine, comme une flambée soudaine, a embrasé tout

le Constantinois. On a, sur place, l'impression que tout raisonnement devient inutile et que les palabres bien intentionnées du gouvernement ou de l'Assemblée, en France, sont un écho venu d'une autre planète. Ici, il n'y a de place que pour la haine, une haine sans limite et devant laquelle on ne peut réagir qu'en se durcissant soi-même à l'extrême pour ne plus être que blasé et fataliste.

Ils sont loin, maintenant, les propos tenus par [...] tels représentants des colons qui affirmaient encore la semaine dernière n'avoir que de l'estime pour leurs travailleurs musulmans ! Aujourd'hui, par la force des choses, les masques sont tombés. Je ne compte plus le nombre d'Européens qui m'ont dit : « *Maintenant c'est la guerre. Le seul vrai problème de l'Algérie c'est l'inquiétant accroissement de la population. Il y a ici deux races qui ne peuvent pas se souffrir. Les Arabes sont neuf millions, c'est-à-dire neuf fois plus nombreux que nous. Ce n'est plus qu'une question de force.* »

Le maquis compte ses nouvelles recrues

De l'autre côté c'est la même histoire. Les chefs des hors-la-loi déclenchent en ce moment une véritable guerre sainte. À la xénophobie latente, causée souvent par le comportement des Européens, s'ajoute le puissant ferment du fanatisme religieux. Dans le cœur de chaque musulman couve le désir d'un pogrome qui n'aurait plus les Juifs pour objet. Et les démonstrations d'amitié ou de soumission exagérément marquées en présence des Blancs ne doivent en aucun cas être prises pour argent comptant chez des êtres dont la duplicité, arme des faibles, est devenue par la force des choses une seconde nature.

Les rares indigènes qui passent sur les risques qu'il y a à se confier à un Européen n'hésitent pas à dire que la répression aveugle de l'émeute, loin de leur inspirer une terreur salutaire, ne peut qu'inciter les Arabes à quitter les mechtas pour fuir dans la montagne. Et gagner le maquis c'est d'une façon ou d'une autre passer aux fellaghas.

À en croire les militaires, la rapide et violente contre-attaque des Européens n'a pas seulement brisé l'émeute, mais elle en a pratiquement anéanti l'état-major. Ce n'est pas l'avis de tout le monde. Le chef de l'insurrection, cet astucieux Zighout Youssef, originaire de Condé-Smendou, et ex-conseiller municipal, membre du PPA, qui parvint à s'enfuir de la prison de Bône, n'a pas été, lui, arrêté, ni fort probablement ses « maréchaux ». L'état-major du CRUA s'est bien gardé de descendre de la montagne.

Les unités qui ont investi Philippeville et Oued-Zenati, les bandes qui ont attaqué les principaux centres du Nord-Constantinois, les quelques terroristes qui ont lancé leurs bombes au cœur même du chef-lieu, avaient certes des objectifs bien déterminés et pouvaient espérer les atteindre. Mais c'étaient néanmoins des groupes sacrifiés, et ils l'ont prouvé par la façon dont ils ont combattu, retranchés dans des bâtiments sans issue plutôt que de fuir quand il en était temps encore.

Il eût donc été stupide de la part des grands chefs de courir le risque de disparaître et de compromettre ainsi l'essor d'un mouvement où le manque de cadres pour l'instant est évident.

Tache d'huile ?

Ces chefs donc sont saufs, pour la plupart. Que vont-ils faire ? À défaut de poursuivre dans les jours à venir une action perdue d'avance – à moins qu'ils ne veuillent par là entraîner une tension qui nous conduise à multiplier les représailles et à exaspérer la population –, ils ont la double possibilité de se replier soit vers l'Aurès, au sud, soit, et ce n'est pas exclu si l'on en juge par les incidents d'hier, vers la Kabylie, au nord-ouest.

Le commandement, si l'on se base sur certains mouvements de troupes en direction de Batna, s'attendrait plutôt à quelque chose du côté de l'Aurès. Mais rien non plus n'exclut que les fellaghas se divisent et que leurs opérations s'étendent simultanément dans ces deux secteurs opposés, dont les populations leur sont en grande partie acquises.

Les déclarations énergiques de M. Soustelle ont été particulièrement appréciées dans les milieux européens, qui voient le gouvernement s'engager à fournir des armes aux fermiers isolés.

Il se passe, somme toute, en Algérie l'inverse de ce qui se passe au Maroc. Ici l'heure de la répression a sonné, et nul ne s'aviserait plus de rappeler les promesses faites en 1936, ou en 1942, ou en 1947...

Georges PENCHENIER, *24 août 1955*

Soixante-sept victimes européennes à Philippeville

Philippeville, 23 août. – Les obsèques des soixante-sept Européens tués samedi à Philippeville ont lieu cet après-midi. Le cortège, primitivement prévu a été décommandé de crainte que la population européenne, à bout de nerfs, n'en vienne à de redoutables extrémités. Le maire, M. Benquet-Crevaux, a demandé au gouverneur général, M. Soustelle, et au préfet de Constantine, M. Dupuch, de ne pas assister à la cérémonie.

L'atmosphère est extrêmement tendue. Tous les commerçants, y compris les restaurateurs, ont fermé en signe de deuil.

Dans les rues quasi désertes, des groupes d'Européens discutent, et la fièvre monte.

Les Arabes sont terrés dans leurs quartiers et ne sortent pas de chez eux.

CRS gendarmes et parachutistes patrouillent sans arrêt.

Depuis ce matin, des opérations de représailles sont organisées dans les environs. À l'heure où je téléphone, Beni-Melek, à un kilomètre à peine de la ville, est bombardé par la troupe.

Georges PENCHENIER, *24 août 1955*

1956

PREMIERS ATTENTATS AVEUGLES À ALGER

7 janvier 1956 : les oulémas (docteurs de la loi musulmane) publient un manifeste en faveur de l'indépendance.

22 janvier : Albert Camus est à Alger où, lors d'une réunion publique, il appelle à la trêve civile.

2 février : Jacques Soustelle quitte l'Algérie.

28 février : le gouvernement Guy Mollet lance un appel pour un cessez-le-feu.

12 mars : par 455 voix contre 76, l'Assemblée nationale vote la loi sur les pouvoirs spéciaux en Algérie. Le Parti communiste a voté pour avec l'essentiel de la gauche et de la droite.

11 avril : l'assemblée algérienne est dissoute ; 70 000 soldats de la classe 52 sont rappelés, 50 000 le seront le 9 mai. Le service militaire est porté à 27 mois. Au total il y aura 400 000 soldats en Algérie en juillet contre 200 000 en janvier.

22 avril : Ferhat Abbas, Ahmed Francis, anciens dirigeants de l'UDMA, et Tewfik El Medani, ancien secrétaire général des oulémas, gagnent Le Caire et rejoignent le FLN.

18 mai : dix-neuf militaires français sont massacrés et mutilés près de Palestro.

9 juin : les libéraux d'Algérie lancent un mensuel, *L'Espoir*.

24 septembre : Abderhamane Farès, ancien président de l'assemblée algérienne, prend position en faveur d'un dialogue avec le FLN.

30 septembre : attentat dans deux bars d'Alger, le *Milk Bar* et la *Cafétéria* (un mort et soixante-deux blessés).

22 octobre : l'avion qui transportait de Rabat à Tunis des leaders algériens est dérouté sur Alger et les dirigeant du FLN arrêtés.

15 novembre : le général Salan est nommé commandant en chef en Algérie.

5 décembre : dissolution des conseils généraux d'Algérie et des municipalités régies comme des communes métropolitaines.

Attentats à la bombe au cœur d'Alger

Alger, 1er octobre 1956. – Soixante-trois blessés hospitalisés, dont deux femmes et un enfant de dix ans dans un état désespéré, plusieurs dizaines de blessés légers, tel est le bilan des attentats qui se sont produits au centre d'Alger.

C'est à 18 h 35 qu'explosèrent simultanément les deux bombes à retardement, l'une au *Milk Bar* de la place Bugeaud, à mi-hauteur de la rue d'Isly, face à l'hôtel de la 10e région militaire ; l'autre à la *Cafétéria*, rue Michelet, devant le bâtiment des facultés.

Une foule dense se pressait dans ces établissements, et les promeneurs étaient particulièrement nombreux sur les trottoirs et jusque sur la chaussée de ces artères très animées, lorsque se produisit la double déflagration.

L'engin du *Milk Bar*, qui avait été placé dans un sac de plage et déposé contre le comptoir, faucha littéralement les plus proches consommateurs, tandis que les glaces s'abattaient sur les clients installés à la terrasse. Un spectacle horrible s'offrit alors aux yeux des rares rescapés : le sang avait giclé sur les marbres blancs des parois, tandis que çà et là des femmes et des enfants, jambes déchirées ou arrachées, s'agitaient en des soubresauts convulsifs. Un parachutiste avait eu un pied coupé net ; un homme, hébété, tamponnait de son mouchoir sa jambe où manquait le mollet : une femme, l'épaule ouverte, gisait sans connaissance ; un serveur, les mains sectionnées à hauteur des poignets, brandissait ses moignons, tandis que, dans un geste vain, quelqu'un tentait de les entourer d'un torchon. Dans un coin, près d'une table et de chaises renversées, la voile blanche d'un bateau d'enfant traînait dans le sang. Ici des verres brisés, plus loin un sac, une écharpe, un soulier...

À la *Cafétéria*, où l'explosion se produisit dans le salon de thé, au fond de la grande salle, une douzaine de blessés, plus ou moins sérieusement atteints, furent relevés.

Renforcement des mesures de surveillance

Une très vive émotion s'est manifestée dans la population. Rue d'Isly en particulier on entendit exprimer avec véhémence une volonté de vengeance.

Vers 19 heures, rue Michelet, un musulman, dont deux agents vérifiaient l'identité, fut pris à partie par la foule, et les policiers durent tirer en l'air pour éviter qu'il ne soit lynché.

Ce matin une quatrième bombe, munie également d'un mouvement d'horlogerie, a été découverte rampe Poirel, en plein centre d'Alger, dans le hall du *Mauretania*, où est installée l'aérogare d'Air France.

L'engin, qui était placé dans une caissette dissimulée dans un sac de plage, a été désamorcé par des artificiers de l'armée.

2 octobre 1956

1957

LA GUERRE URBAINE

7 janvier 1957 : le général Massu, commandant la 10e division de parachutistes, est chargé du maintien de l'ordre de l'agglomération algéroise. C'est le début de la bataille d'Alger.

28 janvier : en liaison avec les débats prévus à l'ONU sur la question algérienne, le FLN lance un ordre de grève général de huit jours. On ne peut parler de succès.

28 mars : le général Pâris de Bollardière demande à être relevé de son commandement pour protester contre les méthodes employées par l'armée en Algérie. Le 15 avril, il sera frappé de soixante jours d'arrêt de forteresse.

29 mai : dans la nuit du 29 au 30 mai 1957, un commando FLN massacre tous les hommes du village de Melouza (Petite-Kabylie) sous prétexte qu'ils appartenaient au MNA (le mouvement national algérien dirigé par Messali Hadj). On comptera 300 morts.

11 juin : arrestation et disparition à Alger de l'universitaire Maurice Audin.

4 juillet : le FLN maintient la reconnaissance de l'indépendance de l'Algérie comme condition préalable à toute négociation.

19 juillet : l'Assemblée nationale vote les pouvoirs spéciaux au gouvernement socialiste de M. Guy Mollet.

1er septembre : l'armée française exerce un droit de suite sur le territoire tunisien.

12 septembre : l'ancien résistant catholique Paul Teitgen, secrétaire général de la police à Alger, démissionne pour protester contre les pratiques du général Massu et des parachutistes.

24 septembre : arrestation de Youssef Saadi, le chef du FLN de la zone autonome d'Alger.

14 décembre : Albert Camus condamne le terrorisme algérien et se déclare partisan d'une Algérie juste où les deux populations doivent vivre en paix et dans l'égalité.

26 décembre : règlements de compte à l'intérieur du FLN : Abbane Ramdane est assassiné par les hommes d'Abdelhafid Boussouf et de Krim Belkacem.

L'ordre règne à Alger

L'armée française n'a pas introduit la torture en Algérie. Elle y était déjà pratiquée par la police française, comme l'indique un rapport de Jean Mairey, directeur général de la sûreté nationale en décembre 1955. Mais, après le déclenchement de la « rébellion », le 1er novembre 1954, les militaires, chargés d'une mission de « maintien de l'ordre » pour laquelle ils n'étaient pas formés, dans un pays que, pour la plupart, ils connaissaient mal, s'efforcèrent de recueillir des renseignements. Dans nombre d'unités, on alla au plus simple : l'emploi de la torture. Elle fut pratiquée d'une façon qu'on pourrait dire artisanale par des cadres qui n'avaient aucune expérience de la technique des interrogatoires.

L'usage de l'électricité se répandit. Dans le bled, faute de courant, on utilisa la génératrice à pédale des postes de radio de campagne, la « gégène ». S'y ajoutèrent les coups, la pendaison par les mains ou les pieds, la baignoire. Le 7 janvier 1957, le général Jacques Massu, commandant la 10e division parachutiste, écrit sur son bloc-notes : « Sainte Mélanie [la sainte du jour], priez pour le nouveau commandant militaire du département d'Alger. » Robert Lacoste, ministre résident (SFIO), vient de lui confier tous les pouvoirs, y compris les pouvoirs de police. Les responsables civils, à tous les échelons, lui intiment d'employer « tous les moyens ». [...]

Les parachutistes de la 10e division parachutiste sont férus d'efficacité. En charge d'un Alger de 800 000 habitants, ils emploieront des méthodes expéditives. Non sans que Massu, dans son bureau d'Hydra, ait tenu à expérimenter sur lui-même la « gégène » comme, assurera-t-il, la plupart de ses officiers, négligeant l'effet psychologique de ce type de torture. Les quatre régiments (6 000 hommes), dont le 1er régiment étranger de parachutistes, un régiment d'artillerie légère aéroportée, le 9e zouave qui surveille la

Casbah, renforcent les 1 100 policiers, le millier de CRS et les réservistes des unités territoriales.

Massu organise la garde de deux cents points sensibles. Ses hommes s'emparent, l'arme à la main, des fichiers des renseignements généraux et les exploitent aussitôt. De l'artisanat dans les interrogatoires, on passe au stade « industriel ». Chaque régiment a son secteur et ses méthodes. La rapidité est essentielle : jour et nuit, sans se soucier des règles légales, on arrête, on interroge, on remplit les cases de l'organigramme du FLN. Le colonel Trinquier a mis en place un « dispositif de protection urbaine » (DPU) dont les mailles enserrent le moindre immeuble.

Des centres spéciaux sont créés, véritables usines à « interrogatoires renforcés » dont la tristement célèbre Villa Sesini, ancien consulat d'Allemagne, qui fonctionnent sans interruption. Le commandant Aussaresses, un officier des services spéciaux qu'Yves Courrière, dans *Le Temps des léopards*, dit *« timide, très bohème, aussi peu militaire que possible »*, coordonne le renseignement et dispose de ses propres hommes.

Certaines unités se refusent à l'emploi de la torture et privilégient la vitesse et la subtilité. Des officiers marquent leurs réticences à faire un métier qui n'est pas le leur. Cependant la machine montre peu à peu sa redoutable efficacité. Des milliers de personnes sont arrêtées et interrogées, ou tuées au cours des arrestations. Le commandant Aussaresses se charge de faire disparaître discrètement ceux des 3 000 suspects qu'il juge irrécupérables. Ils sont, assure-t-il, envoyés dans un camp d'internement, sous la signature du secrétaire général de la préfecture, Paul Teitgen, qui s'apercevra de la supercherie et démissionnera. Ne sont avouées qu'une douzaine d'exécutions capitales « officielles » dont celle du militant européen Fernand Yveton, arrêté alors qu'il transportait une bombe.

En mai, la bataille d'Alger paraît près de son dénouement : on ne compte « que » dix-neuf attentats, mais Yacef Saadi relance ses réseaux. Des bombes placées dans des lampadaires le 3 juin font 10 morts dont 3 enfants et

92 blessés. Une autre, au dancing du casino de la Corniche six jours plus tard, 18 morts et 81 blessés. Une tentative de trêve menée, à l'insu de Massu, par Germaine Tillon, échoue. Les pouvoirs de Massu sont renforcés, le 3e RPC est rappelé à Alger. Les fouilles, les arrestations, les internements vrais ou faux se multiplient.

Le 26 septembre, Saadi et son adjointe, Zora Drif, sont capturés. Dans la nuit du 7 au 8 octobre, Ali-la-Pointe, ancien souteneur devenu un des principaux chefs des poseurs de bombes, cerné dans la Casbah, saute avec son stock d'explosifs. Le cauchemar des Algérois est terminé.

Malgré les dénégations d'André Malraux, la torture continuera d'être utilisée après le retour au pouvoir de de Gaulle. Dans une baraque sur le champ de courses de Constantine, Gérard Lauzier, futur dessinateur de BD et futur cinéaste, d'ailleurs « *convaincu que la torture était nécessaire* » contre le terrorisme, est un temps chargé de protéger « *en quelque sorte la Gestapo de Constantine* ». Il raconte : « *On torturait toute la journée. C'était extrêmement désagréable [...]. Par la force des choses j'ai assisté à des tortures sans évidemment y participer moi-même... Il y avait six équipes d'interrogatoire travaillant 24 heures sur 24 [...] sous les ordres d'un commandant de Légion [...], des gendarmes, des inspecteurs de police et des contractuels. Quelques jeunes du contingent qui faisaient partie de ma section de protection y participaient parfois, volontairement et par plaisir [...]. On torturait là toutes sortes de gens et même des jeunes filles. J'ai vu des gamines de dix-huit ans soumises à des interrogatoires.* »

Des « détachements opérationnels de protection » (DOP) formés de policiers spécialisés furent envoyés dans les unités, pour des raisons d'efficacité et pour éviter que les jeunes soldats soient mêlés aux interrogatoires « renforcés ». Malgré les efforts de Paris et de sérieux progrès, seule la fin de la guerre marquera la disparition totale de la torture. Une génération militaire sera profondément marquée par la mission qu'on lui avait fait remplir. Au moment du putsch et, plus tard dans l'OAS, des officiers plongeront dans la révolte parce qu'ils ne supporteront pas d'avoir, en obéissant aux ordres, « perdu leur âme » pour rien.

Jean PLANCHAIS, *4 décembre 2000*

29 mai 1957 : Le FLN organise le massacre de Melouza

Oradour-sur-Glane en France, Deir Yassine en Palestine[1], My-Lai au Viêtnam[2] : il est sous tous les cieux des hauts lieux de l'horreur. Il témoigne de la folie qui s'empare parfois des hommes lorsqu'ils sont décidés à imposer par tous les moyens leur volonté et ont recours, pour briser tout esprit de résistance à la terreur, au massacre aveugle et systématique. Le FLN algérien, dans sa volonté d'assurer, coûte que coûte, son emprise sur les populations a ajouté lui aussi quelques lignes à la longue liste des crimes contre l'humanité. Le martyre de Melouza en est sans doute le meilleur exemple.

Ce gros bourg situe sur les hauts plateaux au nord de la ville de M'Sila, a la charnière du Constantinois et de la Kabylie, était pourtant gagné aux idées nationalistes, mais dans les premiers mois de 1957, il passe sous l'influence du Mouvement national algérien (MNA) qui se réclame de Messali Hadj et s'oppose au FLN. Les troupes du MNA commandées par le « général » Beilounis, bénéficient de la neutralité, voire d'un soutien discret de l'armée française qui trouve là un moyen de contrer le FLN. Ce Front, pour qui cette région revêt une grande importance stratégique,

---

1. 9 avril 1948 – la population de ce village arabe est massacrée par des commandos extrémistes sionistes.
2. 16 mars 1968 – la population de ce village viêtnamien est victime d'une section de GI commandée par le lieutenant William Calley.

s'en voit peu à peu éliminé. Certains de ses émissaires sont abattus. Les clivages culturels enveniment le conflit, la population, pour l'essentiel la tribu des Beni-Illemane, étant arabophone et supportant mal les exigences des maquisards kabyles.

Une première expédition armée ayant été repoussée définitivement, le chef de la willaya kabyle, le colonel Mohamed Saïd, décide de reprendre, au matin du 28 mai 1957, la situation en main et de faire un exemple en employant les grands moyens. Six sections de l'Armée de libération nationale (ALN), branche armée du FLN, commandées par le capitaine Arab assisté d'Abdelkader Sahnoun convergent sur Melouza et encerclent le douar. Elles regroupent au total 350 hommes bien armés. Les maquisards, présents sur les lieux, tentent de les stopper mais leur résistance est brisée.

Au début de l'après-midi, les troupes du FLN, maîtresses des lieux, font sortir des gourbis tous les hommes du village et les rassemblent sur la place. Les prisonniers sont conduits à Mechta Kasbah, un hameau situé à proximité. Là, ils sont systématiquement massacrés à coups de pioche, de couteau, de hache. Dans les maisons et les ruelles transformées en abattoir, l'armée française, à son arrivée sur les lieux deux jours plus tard, dénombrera 315 cadavres.

Le martyre de Melouza fut abondamment exploité par la propagande française, qui explique le massacre par les sentiments profrançais des habitants du village, alors qu'il s'agissait d'un conflit fratricide. Le résultat recherché par le FLN fut atteint. Le « général » Bellounis, effrayé par le carnage, demanda quelques jours plus tard un rendez-vous au capitaine Combette, responsable de la région, et lui annonça qu'il se ralliait à l'armée française, ce qui le discréditait – à quel prix – aux yeux des nationalistes.

Daniel JUNQUA

1958

LE GÉNÉRAL DE GAULLE REVIENT AU POUVOIR À PARIS ET À ALGER

18 février : le livre d'Henri Alleg sur la torture en Algérie, *La Question* (Éditions de Minuit), est interdit.

19 février : création d'une zone interdite le long de la frontière tunisienne.

27 au 30 avril : conférence maghrébine à Tanger. Le Maroc et la Tunisie renforcent leur soutien au FLN algérien.

13 mai : manifestations des Européens d'Alger, le gouvernement général est occupé, un comité de salut public dirigé par le général Massu est formé.

15 mai : le général Salan se déclare solidaire de la foule algéroise et fait acclamé le général de Gaulle.

23 mai : un Comité central de salut public d'Algérie et du Sahara est formé à Alger avec l'appui de Salan et dirigé par Massu. Le lendemain, un comité de salut public est formé en Corse.

29 mai : le président de la République, René Coty, fait appel au général de Gaulle pour diriger le gouvernement.

4 au 7 juin : premier voyage en Algérie du général de Gaulle.

1er au 3 juillet : deuxième voyage du général de Gaulle en Algérie.

19 septembre : création à l'initiative du FLN du Gouvernement provisoire de la République algérienne (GPRA).

28 septembre : en France, la constitution de la Ve République est approuvée par référendum. La IVe République née au lendemain de la Seconde Guerre mondiale est morte.

11 octobre : Ferhat Abbas, chef du GPRA, se déclare prêt à discuter des conditions politiques et militaires d'un cessez-le-feu.

23 au 25 octobre : le général de Gaulle propose au FLN *« la paix des braves »*.

21 décembre : le général de Gaulle est élu premier président de la Ve République par les grands électeurs.

Alger, mai 1958

Face à la foule du Forum, le général Salan s'écrie : « Vive l'Algérie française ! ». Il fait un pas pour quitter le micro, se heurte à la haute silhouette du gaulliste Léon Delbecque qui lui souffle : « Vive de Gaulle, mon général ! », Salan s'exécute. Il le regrettera amèrement.

La IVe République est morte par une journée radieuse de mai à Alger, où palpitait le cœur de l'Algérie française, morte dans la confusion des intrigues et des coups fourrés. Une poignée d'exaltés lui auront porté le coup fatal, un mardi 13, à la tête d'une foule de pieds-noirs en délire. Moins rapides à la manœuvre que les activistes locaux, les gaullistes prirent le train en marche, pour rafler finalement la mise. Leurs mérites et leur abnégation furent grands : pour un peu, de Gaulle les aurait désavoués. Il ne serait pas dit qu'il devait son retour au pouvoir à la « sédition », comme l'affirmèrent aussitôt Pierre Mendès France et François Mitterrand.

L'insurrection, quatre ans plus tôt, des indépendantistes du FLN a sonné le glas de ce que de Gaulle appellera « l'Algérie de papa ». Un million d'Européens sont enfin prêts à faire des concessions aux neuf millions de musulmans qui peuplent les trois départements d'outre-Méditerranée. Mais leur abandonner l'Algérie française, jamais. L'armée est désorientée. Défaits à Điên Biên Phủ (1954), stoppés net dans leur élan lors de la piteuse expédition de Suez (1956), ses centurions sont obnubilés par l'idée d'être une nouvelle fois « trahis par l'arrière ». Une question, qui vaut pour toutes les guerres coloniales, les met hors d'eux : pourquoi, forte de 450 000 hommes, l'armée française d'Algérie s'est-elle montrée incapable depuis quatre ans de mater 25 000 rebelles ?

Pieds-noirs et militaires ne voient pas l'Algérie avec les mêmes lunettes. Les premiers ont, de toujours, fait « suer le burnous ». Les autres croient en leur mission civilisatrice. Mais ils ont en commun le mépris du « système », ces politiciens qui se chamaillent à Paris en jouant avec leurs nerfs. Une fois encore, le 15 avril, le gouvernement a été renversé. Tandis que s'échafaudent des combinaisons pour tenter de former le vingt et unième ministère de la IVe République en douze ans et cinq mois, Alger la Blanche bout comme un chaudron.

Les horreurs des uns répliquant aux horreurs des autres, le FLN a annoncé le 9 mai l'exécution de trois militaires français qu'il détenait depuis dix-huit mois en Tunisie. Un hommage populaire leur sera rendu le 13 mai au monument aux morts, boulevard La Ferrière à Alger, à deux pas du gouvernement général ou « GG », le siège du ministère de l'Algérie. L'occasion est trop belle pour les comploteurs de tout poil qui, depuis des mois, guettent le moment de dresser Alger contre Paris, avec le fol espoir de jeter à bas le régime.

De tous les factieux qui s'agitent au grand jour à Alger, les activistes pieds-noirs ont l'ouïe la plus fine. Alliés pour l'heure aux gaullistes, ils se méfient de de Gaulle, qu'ils jugent beaucoup moins « Algérie française » que le prétendent ses affidés. De ce groupe composite, fort en gueule et haut en couleur, émerge Robert Martel, un colon dont la famille exploite 300 hectares dans la plaine de la Mitidja. C'est un chouan authentique, cœur et croix écarlates au revers du veston, un apôtre de la contre-révolution. En vue du grand jour, il s'est abouché avec Jo Ortiz, le patron poujadiste de la *Brasserie du Forum* à Alger, et avec Pierre Lagaillarde, avocat, lieutenant de réserve de parachutistes, qui, étudiant prolongé, préside la remuante Association générale des étudiants d'Algérie.

Un temps, Martel, Ortiz et Lagaillarde ont feint de marcher avec Léon Delbecque et Lucien Neuwirth, pivots de la conjuration gaulliste à Alger. Comploteurs parmi les comploteurs, ces deux-là bénéficient sur place d'une couverture inattaquable, l'« antenne » du ministère de la Défense nationale qu'a créée à Alger Jacques Chaban-Delmas après avoir recruté Delbecque en 1957 à son cabinet. Dans *Mémoires pour demain* (Flammarion, 1997), Chaban minimise à peine le rôle qui fut le sien en ces heures décisives : « *Nous combattions pour la même cause, le ministre en conduisant la politique qu'il estimait le plus conforme à l'intérêt de la nation, les conspirateurs en conspirant.* » Ainsi les conjurés bénéficiaient-ils de complicités au cœur même de l'État, Chaban feignant d'ignorer ce que mijotait Delbecque et de Gaulle ce que tramait Chaban.

Craignant d'être « doublés » par les gaullistes, les ultras ont secrètement planifié l'assaut du « GG [1] » le 13 mai. Il sera lancé lorsque les autorités civiles et militaires auront déposé une gerbe au monument aux morts. Un instant de calme, chargé d'émotion, de ceux qui annoncent les orages. Après une minute de silence, éclate « La Marseillaise ». Tout Alger est là, une foule vibrante parcourue par le cri « Algérie française ! » et « Le Chant des Africains ». Il est 18 heures lorsque Martel et Lagaillarde, à la tête de quelques milliers d'hommes, pour la plupart armés, entreprennent de gravir les escaliers qui mènent au Forum, place Georges-Clemenceau, dominé par l'imposante bâtisse du gouvernement général.

Follement acclamés, les émeutiers peinent à se frayer un chemin parmi le petit peuple d'Alger qui vocifère : « Au GG, au GG ! » Des CRS tirent, sans insister, des grenades lacrymogènes. Les ultras savent pouvoir compter sur la complicité passive des paras, dont Lagaillarde a revêtu la tenue léopard. En quelques instants les grilles du « GG » cèdent. Les bureaux sont investis et saccagés. Il est 19 heures. Le gouvernement général, symbole de l'autorité de la République en Algérie, est tombé. Les jours de la IVe sont comptés.

Commence alors la nuit la plus longue, qui va tenir en haleine, l'oreille collée à la radio, les Français sur les deux rives de la Méditerranée (en 1958, la France ne compte que 990 000 téléviseurs). À Paris, les députés délibèrent dans la fièvre. Il est 2 h 45, le 14 mai, lorsqu'ils investissent comme nouveau président du conseil Pierre Pflimlin (MRP), dont

1. Gouvernement général.

un article, quelques jours auparavant, sur la nécessité d'« *engager des pourparlers avec [...] ceux qui se battent* », a cabré définitivement Alger contre lui.

Pour l'heure, une pagaille indescriptible règne au « GG » où, pris de court par leur victoire, les activistes hésitent sur la conduite à tenir. Il ne faudra que quelques heures aux militaires puis aux gaullistes pour prendre en main la situation et marginaliser Lagaillarde et Martel. Apprenant la tournure prise par les événements, les généraux Jacques Massu et Raoul Salan se sont précipités au « GG ». Officier parachutiste, gaulliste de cœur, Massu est immensément populaire depuis qu'il a remporté contre le FLN la bataille d'Alger dans les ruelles de la Casbah et le secret des centres de torture où opéraient ses paras.

Sa renommée algéroise lui vaut d'être immédiatement propulsé à la tête du comité de salut public qui se forme alors dans la fébrilité et l'improvisation. Arrivé entre-temps au « GG », ayant habilement refait le terrain concédé aux activistes, le gaulliste Delbecque est nommé vice-président. Ce comité se veut le fer de lance de la « révolution » du 13 mai. Il entend exercer le pouvoir en Algérie jusqu'à ce que se constitue enfin à Paris un gouvernement authentiquement Algérie française. La confusion est telle qu'au milieu des colonels et des anciens combattants, européens et musulmans, des notables et des fonctionnaires réunis au sein du comité de salut public, s'est glissé un commis aux HLM, André Baudier. Comme on lui demandait qui il représentait, il s'est exclamé : « La foule ! »

La foule algéroise, qui savoure les événements, est toujours là, agglutinée sur le Forum. Elle passera la nuit sur place et sera là le lendemain et le surlendemain encore. Cette foule, qui ne désarme pas, a une idole, le gaulliste Jacques Soustelle, ancien gouverneur général d'Algérie et député du Rhône. Ce mardi 13 mai à Paris, il s'emploie sans succès à torpiller l'investiture de Pflimlin. On ne le verra à Alger que le 17, au grand désappointement des gaullistes de l'ombre, Delbecque et Neuwirth, qui eussent volontiers profité de son aura pour renforcer leur main.

La foule du Forum déteste Salan, le commandant en chef en Algérie, réputé républicain. Visage impénétrable, ses dix rangs de décorations fixées sur un uniforme impeccable, il manque cruellement du charisme du général de Lattre dont il a été l'adjoint en Indochine. De folles rumeurs l'ont précédé à Alger, où il est arrivé en novembre 1956. Il serait responsable de la chute de Điện Biên Phủ. Il s'apprêterait à livrer l'Algérie au FLN. Son épouse serait la sœur de Mendès France, le « bradeur » de l'Indochine et de la Tunisie...

Petit à petit, ce manœuvrier froid va retourner la situation. D'accord avec Delbecque, il commence par asseoir son autorité sur le comité de salut public, qui lui est désormais subordonné. Puis il obtient de Paris tous les pouvoirs civils et militaires en Algérie. Comme les événements lui échappent, le gouvernement feint de les organiser... Habilement travaillée par les agents du comité de salut public, la foule versatile du Forum est maintenant acquise aux cinq étoiles qu'elle conspuait quarante-huit heures plus tôt.

Alea jacta est. Le 15 mai, Salan franchit le Rubicon. Du balcon du « GG », où les orateurs se succèdent depuis trois jours, il s'adresse à la foule. « *Nous gagnerons*, lance-t-il, *parce que nous l'avons mérité et que là est la voie sacrée pour la grandeur de la France. Mes amis, je crie : "Vive la France ! Vive l'Algérie française !"* C'est la péroraison qu'il a préparée. En a-t-il fini ? Il se retourne pour quitter le micro, se heurte à la haute silhouette de Delbecque, qui lui souffle : « *Vive de Gaulle, mon général !* » Salan hésite une seconde, revient vers le micro, puis s'exécute : « *Vive de Gaulle !* »

Une clameur immense accueille ces trois mots, dont l'écho formidable franchit aussitôt la Méditerranée. Salan a beau s'être déjà prononcé, les jours précédents, en faveur de de Gaulle, c'est la première fois qu'il lance ce nom en public, la première fois aussi que les Algérois font au reclus de Colombey un tel triomphe. De Gaulle ne s'y trompe pas. Le jour même, à 17 heures, il fait publier un communiqué dans lequel il se déclare prêt à « assumer les pouvoirs de la République ». Un communiqué médité depuis quelque temps déjà, bien avant la « sortie » de Salan, affirment les historiens. Qu'importe, le premier pas est franchi. Au bout de la route le pouvoir l'attend.

Bertrand LE GENDRE, *11 mai 1998*

Le retour au pouvoir du reclus de Colombey

[...] De Gaulle a soixante-sept ans. Au cours des vacances de Pâques 1958, à Colombey, son neveu Bernard de Gaulle l'a trouvé vieilli, marchant avec une canne, amer : « *C'est fichu... Ce pays ne se redressera pas...* » (*De Gaulle*, de Jean Lacouture, tome II, Le Seuil, 1985). Il feint de se désintéresser de la crise qui couve. Les émissaires, nombreux, qui viennent lui rendre compte des événements repartent de La Boisserie perplexes : pas un mot d'encouragement aux comploteurs qui se prévalent de son nom. Pas un mot de découragement non plus.

L'insurrection du 13 mai le tire de sa léthargie réelle ou simulée. D'autant que les événements se précipitent, qui pourraient jouer contre lui. À Alger, le Comité de salut public ne désarme pas. Il prépare en s'en cachant à peine, c'est un excellent moyen de pression, un coup de force en métropole. Des paras sont prêts à s'emparer des points névralgiques de la capitale. Appuyés par d'autres paras, des putschistes ont débarqué en Corse le 24 mai. Crânement, le gouvernement de la République fait front, tandis que son autorité se désagrège. Il y a bien un ministre de la Défense nationale, mais l'armée ne lui obéit plus. Un ministre de l'Intérieur, mais la police est de cœur avec les insurgés. Un ministre de l'Algérie, mais son bureau du Gouvernement général à Alger est occupé par les paras.

Paris vit dans la hantise d'une opération militaire que de Gaulle veut éviter à tout prix. Il en serait l'otage. Aussi se décide-t-il le 26 mai à proposer une entrevue secrète au nouveau président du conseil, Pierre Pflimlin. Celle-ci a lieu en pleine nuit à la résidence du conservateur du parc de Saint-Cloud, à deux pas de la terrasse du 18-Brumaire... Les deux hommes se séparent à 1 h 30 du matin sans s'être entendus. Investi comme chef de Gouvernement alors que les factieux venaient d'occuper le Gouvernement général à Alger, M. Pflimlin tient son mandat des représentants du peuple. Il ne se reconnaît pas le droit d'en disposer au profit d'un autre. Cet autre fût-il le sauveur, prêt à récidiver, du 18 juin 1940.

Sans doute M. Pflimlin, tout comme le président de la République, René Coty, juge-t-il souhaitable le retour aux affaires du Général. Mais aux postes qu'ils occupent l'un et l'autre, ils entendent faire respecter la légalité. Et puis l'Assemblée gronde, qui n'est pas encore disposée à se laisser forcer la main. Des années durant, le Général l'a accablée de ses sarcasmes. Ce n'est pas aujourd'hui qu'il va lui faire la cour.

L'effet d'une bombe

À midi, le 27, il fait publier un communiqué qui jette de l'huile sur le feu : « J'ai entamé hier le processus régulier nécessaire à l'établissement d'un gouvernement républicain ». Soigneusement pesés, ces quelques mots font l'effet d'une bombe. Mais que signifient-ils au juste ? Le 19 mai, au cours d'une conférence de presse, de Gaulle, altier, a prévenu qu'il ne reviendrait pas au pouvoir « selon les rites habituels ». Autrement dit, selon la procédure d'investiture devant les députés prévue par la Constitution. Si c'est cela le « processus régulier » dont il parle aujourd'hui...

Les choses finiront par s'arranger. Tout miel, de Gaulle acceptera de se présenter devant l'Assemblée, qui l'investira dans un dernier hara-kiri (seuls 131 députés retrouveront leurs sièges aux législatives de novembre 1958). Auparavant, il aura fallu les ralliements d'Antoine Pinay (Indépendants), de Georges Bidault (MRP) et surtout de Guy Mollet (SFIO) pour débloquer une situation qui, si elle s'était prolongée, aurait d'abord profité aux ultras. Le 28 mai, le Gouvernement démissionne.

Le 29, après une nouvelle nuit dramatique, Coty fait lire aux députés un appel à de Gaulle assorti d'une menace de démission s'il n'était pas entendu. À 21 h 15, le 1er juin, le Général est investi par 329 voix contre 224. Ont dit « non », les communistes, 49 socialistes sur 95 et plusieurs personnalités dont Gaston Defferre, Roland Dumas, Charles Hernu, Pierre Mendès France et François Mitterrand.

Bertrand LE GENDRE, *11 mai 1998*

Pour refus de servir en Algérie quinze mois de prison et 50 000 francs d'amende au soldat Fernand Marin

Le soldat Fernand Marin, qui avait mercredi, à la caserne de Reuilly, à répondre, devant le tribunal des forces armées, du délit de provocation de militaires à la désobéissance, pour avoir montré à des camarades, le 17 septembre 1967, une lettre au président de la République annonçant son refus de partir pour l'Algérie, est apparu sous les traits d'un garçon de vingt et un ans très intimidé de se trouver là. Point du tout fanfaron, ni arrogant, il était fort ému d'être contraint d'exposer ainsi publiquement les mobiles qui l'ont conduit, au terme de longues et profondes méditations, à ce geste.

Avant son incorporation, au mois de mai précédent, il était chaudronnier aux usines Citroën, ouvrier bien considéré, « *bien que militant pour un parti extrémiste* », selon le mot du président Dubois, qui devait s'écrier, en réponse aux explications du prévenu :

« *Vous avez le droit, en votre qualité de citoyen, de penser ce que vous voulez de la guerre d'Algérie, même qu'elle est une folie ; mais, comme militaire, vous avez le devoir d'exécuter les ordres sans les discuter !* »

Cette conception classique de la discipline militaire a été critiquée par l'abbé Boulier et Mme Gabriel-Péri, cités à la barre des témoins par la défense. Tous deux ont invoqué le droit international et les jugements de Nuremberg, justifiant selon eux le refus d'un soldat de participer à une « *guerre injuste* ».

MM. Matarasso et Plas, défenseurs, après avoir souligné la fragilité des charges retenues – le simple fait pour Marin d'avoir montré la copie d'une lettre à des camarades sans les inciter à l'imiter –, ont mis en parallèle le geste de leur client et l'action des officiers du 13 mai, qui ont désobéi aux ordres du gouvernement d'alors et du président de la République :

« *Et Marin avait commis un acte de ce genre, s'exclama M. Matarasso, peut-être serait-il assis à présent dans un fauteuil d'un quelconque comité de salut public !*

Et l'avocat d'ajouter :

— *Ne venez pas soutenir que l'armée ne fait pas de politique : n'est-ce pas l'armée qui fait campagne en Algérie pour le référendum ?* »

Ces arguments n'ont pas empêché le soldat Marin d'être condamné à quinze mois d'emprisonnement et 50 000 francs d'amende.

1960

PREMIERS PAS VERS LA NÉGOCIATION

19 janvier 1960 : le FLN confirme son intérêt pour l'autodétermination. Remaniement au sein du GPRA.

23 janvier : limogeage du général Massu qui s'est prononcé contre la politique algérienne du général de Gaulle.

24 janvier : début de la semaine des barricades à Alger. Les émeutiers se retranchent dans deux réduits du centre-ville.

29 janvier : déclaration radiotélévisée de de Gaulle qui exige l'obéissance de tous les soldats français.

1er février : reddition des émeutiers.

13 février : la première bombe A explose à Reggane, dans le Sahara algérien.

29 février : Ferhat Abbas, au nom du GPRA, fait à Tunis une déclaration pour demander l'ouverture de pourparlers.

3 au 5 mars : de Gaulle fait la « tournée des popotes » en Algérie et lie négociation et victoire militaire.

9 au 13 avril : l'UNEF (l'Union nationale des étudiants de France) vote une motion réclamant des négociations avec le FLN pour un cessez-le-feu et l'autodétermination.

Mai : dans la revue *Esprit*, Jean Daniel exprime ses réticences face à l'engagement de la gauche intellectuelle pour le FLN. Il écrit : « *Je crains que nos philosophes n'en soient arrivés à sacraliser le FLN comme les intellectuels staliniens sacralisaient, il y a quelques années, le Parti communiste. C'est la recherche angoissée de l'absolu disparu.* »

14 juin : de Gaulle renouvelle son offre de négociation.

16 juin : constitution du Front de l'Algérie française.

20 juin : le GPRA accepte l'envoi d'une délégation présidée par Ferhat Abbas pour rencontrer le général de Gaulle.

25 au 29 juin : échec des négociations franco-algériennes à Melun.

12 août : deux soldats français sont condamnés à mort par le FLN et exécutés.

5 septembre : début du procès du réseau de soutien au FLN dit réseau Jeanson.

6 septembre : 121 personnalités françaises publient un manifeste sur le droit à l'insoumission dans la guerre d'Algérie. Tous les signataires seront interdits de radio et de télévision.

14 septembre : le général Salan prend position contre la politique algérienne du président de la République. Convoqué à Paris, il se voit interdire l'accès à l'Algérie.

12 au 14 octobre : l'assemblée des cardinaux et des évêques de France condamne à la fois l'insoumission et les outrages à la personne humaine.

21 octobre : dans l'hebdomadaire *Carrefour*, des intellectuels tels que Roland Dorgeles, Roger Nimier, Antoine Blondin, Jules Romain et d'autres publient un manifeste contre la rébellion algérienne qualifiée de minorité fanatique, terroriste et raciste.

1er novembre : ouverture au tribunal des forces armées de Paris du procès dit des barricades.

4 novembre : le général de Gaulle réaffirme sa voie vers l'Algérie algérienne et est prêt à dissoudre l'Assemblée nationale et à organiser un référendum.

5 décembre : fuite en Espagne de certains dirigeants des mouvements pour l'Algérie française.

9 au 13 décembre : de Gaulle se rend en Algérie. Violentes manifestations « européennes » et algériennes à Alger et à Oran. Bilan officiel 120 morts dont 8 Européens.

20 décembre : la campagne pour le référendum sur le principe de l'autodétermination en Algérie a commencé.

Le procès du « réseau Jeanson »

Le 5 septembre 1960 s'ouvrait devant le tribunal des forces armées de Paris l'un des plus importants procès liés à la guerre d'Algérie, celui des membres de ce qui fut appelé le « réseau Jeanson », surnommés eux-mêmes « les porteurs de valise ». Il réunissait vingt-trois personnes, six Algériens et dix-sept métropolitains. Cinq autres étaient en fuite, dont le professeur de philosophie Francis Jeanson, proche de Jean-Paul Sartre, et présenté comme l'inspirateur et l'animateur de ce groupe métropolitain. Sur le plan des faits, le cas des inculpés musulmans parmi lesquels Hamada Haddas, responsable fédéral du Front de libération nationale (FLN), son adjoint Hamini Aliane et Ould Younes, ancien responsable de zone à Marseille était semblable à celui de beaucoup d'autres Algériens déjà jugés et leur attitude allait être la même : refus d'une juridiction française tenue pour illégitime, affirmation d'une nationalité algérienne, utilisation du prétoire pour un combat complémentaire, lui-même épisode de la lutte pour l'indépendance.

Le cas des métropolitains promettait plus de discussions et soulevait plus de passions. Les mobiles de chacun, les influences intellectuelles, les justifications d'attitude, allaient tenir une grande place dans le débat. D'autant plus que la défense avait fait citer à titre de témoins des personnalités d'envergure telles que Edmond Michelet, André Malraux, Robert Buron, Jean-Paul Sartre, François Mauriac, Vercors, Paul Teitgen, Simone de Beauvoir, Marguerite Duras. En effet, ce « réseau Jeanson » se présentait comme un groupement d'intellectuels engagés à gauche, réunissant des professeurs, des artistes, des étudiants, des réalisateurs de radio, des comédiens. Leurs activités avaient été diverses : rédaction, édition, diffusion d'une brochure, transport de fonds, location d'appartements pour l'hébergement de membres du FLN recherchés par la police. [...] Tout cela suffirait largement à nourrir une inculpation générale d'atteinte à la sûreté extérieure de l'État. Mais de la même façon tout cela offrait, par la publicité assurée de l'audience l'occasion de dire, plus encore à l'opinion qu'aux juges militaires qui avaient à en connaître, pourquoi il fallait mettre fin à la guerre d'Algérie. Car cette fois, l'opinion, malgré tout, se trouvait intéressée.

Ce n'est point encore que dans sa majorité elle approuva l'attitude de ces accusés. Elle aurait été plutôt portée à réprouver des agissements qui heurtaient les ancestrales données du patriotisme. Mais tout de même, il y avait dans cette affaire des Français et il était bon, rassurant peut-être, de savoir comment ils entendaient se justifier. Qui étaient-ils, ces Français capables d'un si total engagement aux côtés des Arabes ? Leurs noms ne disaient rien. [...] Tous avaient leur pseudonyme, leurs mots de passe. Tous menaient cette vie clandestine et dangereuse depuis 1959, quelques-uns depuis 1958. Le réseau s'était étoffé petit à petit pour devenir une organisation suffisamment rodée lorsque la Direction de la surveillance du territoire en avait annoncé le démantèlement en février 1960.

Avant de pouvoir écouter les uns et les autres, il fallut patienter. C'est qu'il y avait, aux côtés des Français, les Algériens assistés de la redoutable équipe de Me Jacques Vergès. La doctrine du « collectif Vergès » était connue. Elle s'exprimait en ces termes : « La défense ne peut se contenter d'opposer à la thèse française la thèse algérienne. Elle doit encore montrer comment la thèse française aboutit sur le plan juridique à une monstruosité et, sur le plan de la répression, débouche sur le génocide. Sur le plan juridique, la thèse de la pacification est minée par ses contradictions fondamentales. Ou bien les prisonniers algériens sont des malfaiteurs et il convient alors de leur réserver toutes les garanties légales accordées aux malfaiteurs à part entière. Ou bien le gouvernement français fait appliquer aux Algériens une législation d'exception raciste, mais par cela même il réduit à néant la thèse d'une simple opération de police dirigée contre des nationaux sur laquelle il fonde pourtant la compétence de ses tribunaux. La situation, là encore, est impossible. Ou bien, comme c'est le cas actuellement, le pouvoir exécutif et le Parlement reconnaissent qu'il existe un conflit armé en Algérie et que l'Algérie n'est pas la France. Mais alors il faut abroger tous les textes d'exception au lieu de les étendre et de les renforcer et reconnaître aux prisonniers algériens le statut de combattants au lieu de les traiter en moins que des droit commun. » Ainsi se justifiaient ces batailles de procédure qui irritaient tant les juges et plus encore l'opinion. [...]

Mais tous ceux qui lisaient des journaux, écoutaient la radio, ne pouvaient plus ignorer qu'il y avait un procès du « réseau Jeanson ». Qui donc a dit : « *Parlez de moi en bien ou en mal peu m'importe, mais parlez-en* » ? Les tumultes devinrent bientôt tels, proches du pugilat, que même Gisèle Halimi, avocat de deux des Français en cause, annonça au huitième jour qu'elle « *renonçait à les défendre* ». Elle en donna clairement les raisons : « *À ce moment des débats, et après m'en être entretenue avec mes clientes, j'ai décidé de ne plus assurer leur défense. Pour France Binard, l'intellectuelle, pour Jacqueline Carré, l'ouvrière, pour moi et pour nous tous, ce procès était le plus important depuis le début de la guerre d'Algérie. Pour la première fois des Algériens et des Français dirigeant un "réseau" dit "de routine" assis côte à côte, témoignaient de la communauté d'intérêt de deux peuples à l'occasion d'une même révolution.*

Pour les Algériens, le problème est simple. Il leur est dit qu'ils seront libres de ne plus vouloir être français et on veut condamner certains pour avoir déjà fait ce choix. Mais pour les Français ? Ce débat nouveau était le plus dramatique et le plus important... Ils voulaient, oui, faire le procès de cette guerre d'Algérie. Mais en même temps et surtout, ils entendaient expliquer que, par leur choix, ils voulaient définir la ligne politique la plus juste à leur sens pour l'avenir du peuple français. La tournure prise depuis huit jours par ces débats me fait craindre que cette démonstration ne soit plus possible. »

Elle s'en fut. Dans une telle affaire, la défense pouvait-elle être une et indivisible ? Il eût fallu d'abord que les intérêts et les objectifs puissent être véritablement communs. Or les obstacles à la cohésion se révélaient bien nombreux. On avait, en premier lieu, réuni dans une même « *charrette* » les Français qui avaient « *soutenu* » et les Algériens qui l'avaient été. Quelques propos çà et là avaient bien tenté de faire savoir qu'ils étaient tous solidaires les uns des autres. Cela restait insuffisant. Et si, parmi les Français accusés que le dossier considérait comme les plus compromis, cette solidarité pouvait encore s'affirmer, elle restait moins évidente pour ceux et leurs défenseurs qui bénéficiaient d'une liberté dont ils attendaient justement du jugement à intervenir qu'elle ferait cesser le caractère provisoire.

Le procès maintenant dépassait les limites de son prétoire. [...] Et, pour faire bonne mesure, des conseillers municipaux, des militants de l'organisation d'extrême droite Jeune Nation venaient maintenant manifester devant le prétoire du Cherche-Midi et crier, au passage des fourgons amenant ou ramenant les accusés, « *À mort les traîtres !* », « *Fusillez les assassins !* », « *Algérie française !* ». Premières expressions d'un cri qui allait bientôt s'amplifier, lever de rideau annonciateur de la prochaine OAS.

Cependant le procès suivait son cours. L'interrogatoire des accusés algériens n'apporta rien de particulier : soldats d'une armée, représentants d'un peuple en guerre pour son indépendance, ils se considéraient comme des résistants. Vinrent enfin les métropolitains. Avec eux commençait véritablement l'affaire du « réseau Jeanson ». Et l'on se trouvait face à une « communauté d'idées ». Sans doute d'un cas à l'autre on pouvait relever des différences. Il y avait ceux, comme France Binard, qui reconnaissaient, revendiquaient même l'appartenance au groupe, l'adhésion sans réserve à son objet. Il y avait, plus engagés encore, comme Hélène Cuenat, amie de Francis Jeanson, ceux qui livraient leur profession de foi et estimaient n'avoir rien à dire ni à répondre au-delà, opposant à toutes les questions sur la matérialité de leurs actes, le même silence que les Algériens. Pour d'autres, telle Jeanine Cahen, la défense n'était pas la même. S'ils contestaient formellement avoir été les agents conscients d'un réseau de soutien au FLN, ils ajoutaient que l'épreuve de la prison avait suffi à les rendre solidaires de leurs compagnons, à partager leurs idées, à les préparer pour l'avenir à un engagement total qui n'était pas encore le leur au moment où ils furent arrêtés. Tous furent écoutés avec intérêt.

L'un des plus remarqués fut Jean-Claude Paupert. Rappelé en Algérie en 1956, il y avait été un fort bon soldat, bien noté. « *Pourtant*, dit-il à ses juges, *il n'y a pas, d'un côté, le "bon soldat" Jean-Claude Paupert et de l'autre le "mauvais Français" Jean-Claude Paupert. Quel homme étais-je avant d'aller en Algérie ? Un militant de gauche. J'ai manifesté comme tel, contre cette guerre. Et j'ai finalement accepté d'aller la faire et de ne pas déserter. Je pensais, moi aussi, que mon devoir était d'aller aider les Français fixés là-bas. Mais j'ai vu aussi que pour subsister là-bas, l'Algérien doit être le bougnoul et qu'il accepte de l'être sachant qu'il ne l'est pas.* »

Mais, surtout, Jean-Claude Paupert gardait le souvenir obsédant de tortures infligées devant ses yeux. « *Ceux qui faisaient cela portaient votre uniforme, le mien et nous en sommes tous responsables.* »

Parmi les accusés, une autre fut remarquée. Professeur d'anglais au lycée de Neuilly, Micheline Pouteau tint à cet aréopage militaire un discours sans équivoque : « *Professeur, j'ai à enseigner non seulement une technique mais une éthique morale à de jeunes Français et à leur inculquer certains principes. Parmi ces principes qui sont l'honneur de la France, il y a le respect de l'homme, le droit des peuples à disposer d'eux-mêmes et même, je pense, un certain dynamisme révolutionnaire qui est le propre de notre pays. Ces principes, je crois aussi que l'université en est une des gardiennes mais je crois que ce n'est plus par eux que l'on montre le visage de la France au peuple algérien. Car, en même temps que je les enseigne et que j'y crois, je vis une époque où s'affirment des principes tout différents. Enfermée dans cette contradiction, j'ai cherché une issue... Et ma révolte fut aussi motivée par la découverte de l'objet d'une guerre qui n'était autre chose que l'assimilation fictive d'un peuple contre sa volonté.* »

Dès lors, le procès prenait sa dimension. Il ne concernait plus seulement ceux qui s'y trouvaient personnellement impliqués. Il obligeait à intervenir des partisans impénitents de l'Algérie française comme Jacques Soustelle ou le général Salan, qui dénonça bientôt « *ceux qui se font complices des misérables qui utilisent le couteau* » et appela sur eux les rigueurs du code de justice militaire.

On entendit les témoins dont M. Paul Teitgen, qui avait démissionné de ses fonctions de secrétaire général à la préfecture d'Alger lorsqu'il y découvrit les réalités de la torture. Vercors, l'auteur du *Silence de la mer,* ne se déroba pas non plus : « *J'ai à dire que non seulement j'excuse mais que je suis obligé d'approuver* ». Et puis il y eut cette lettre de Jean-Paul Sartre, adressée au tribunal comme un véritable brûlot et achevée en ces termes : « *Il importe de dire très clairement que ces hommes et ces femmes ne sont pas seuls, que des centaines d'autres déjà ont pris le relais, que des milliers sont prêts à le faire. Un sort contraire les a provisoirement séparés de nous mais j'ose dire qu'ils sont dans ce box comme nos délégués. Ce qu'ils représentent c'est l'avenir de la France, et le pouvoir éphémère qui s'apprête à les juger ne représente déjà plus rien.* »

Le « pouvoir éphémère » n'en jugea pas moins. Il y eut quatorze condamnations à dix ans de prison, le maximum de la peine encourue, trois autres s'échelonnant de cinq ans à huit mois et neuf acquittements. L'opinion, si tant est qu'elle se soit montrée attentive, oublia vite. Déjà son attention était sollicitée ailleurs. Un mois après la fin de ce tumultueux procès du « réseau Jeanson » s'ouvrait celui des barricades d'Alger. La subversion changeait de camp, et les juges militaires allaient avoir pour plusieurs années encore du pain sur la planche.

Jean-Marc THEOLLEYRE, *11 septembre 1995*

1961

LES COMBATS DES PARTISANS DE L'ALGÉRIE FRANÇAISE

8 janvier 1961 : la politique algérienne du général de Gaulle est approuvée par référendum. Le « oui » obtient 75,25 % des suffrages exprimés en métropole et 69,09 % en Algérie.

1er mars : rencontre au Maroc entre Hassan II, Habib Bourguiba et Ferhat Abbas. Ils estiment que des pourparlers entre le GPRA et le gouvernement français doivent s'engager.

2 mars : procès des barricades, treize acquittements, une peine de mort par contumace et dix ans de détention pour Pierre Lagaillarde.

31 mars : Camille Blanc, maire d'Évian, est tué par une charge de plastic.

3 avril : Messali Hadj confirme son refus de s'effacer devant le FLN.

11 avril : de Gaulle évoque le futur de l'Algérie en tant qu'État souverain.

21 au 22 avril : coup de force militaire en Algérie. Les généraux Challe, Jouhaud, Salan et Zeller s'emparent du pouvoir avec l'appui de certaines troupes parachutistes.

28 avril : le gouvernement crée un Haut Tribunal militaire chargé de juger les insurgés. Arrestation à Paris de plusieurs généraux ayant participé à la préparation du coup d'État.

20 mai : ouverture officielle à Évian des pourparlers avec le GPRA. Trêve unilatérale des combats pour un mois.

15 juin : le Gouvernement français proroge la trêve unilatérale.

5 juillet : manifestations organisées par le FLN dans l'Algérois et le Constantinois. Bilan officiel : 70 morts et 266 blessés.

12 juillet : le général de Gaulle annonce qu'il accepte un État algérien indépendant mais que, faute d'association, la France procédera au regroupement des populations européennes. Cela implique un partage de l'Algérie.

15 juillet : attentat organisé par les partisans de l'Algérie française contre Mgr Léon Étienne Duval, archevêque d'Alger surnommé Mohamed par les « petits Blancs » d'Algérie.

27 août : le Conseil national de la révolution algérienne remplace à la présidence du GPRA Ferhat Abbas par Youssef Ben Khedda.

1er septembre : nombreux attentats OAS en métropole.

5 octobre : un couvre-feu est instauré à Paris pour les Algériens.

17 au 18 octobre : grande manifestation des Algériens et des Algériennes de l'Île-de-France organisée par le FLN. La répression de la police parisienne est féroce. On compte des dizaines de morts et des centaines de blessés.

19 décembre : manifestations en métropole contre l'OAS et pour la paix en Algérie. Une centaine de blessés.

27 au 28 décembre : deux embuscades organisées en Algérie par le FLN causent la mort de 21 militaires français.

Le putsch manqué d'Alger

Lorsque le commandant Hélie Denoix de Saint Marc, chef par intérim du 1er régiment étranger de parachutistes, est reçu le 20 avril 1961 au soir par le général Maurice Challe, il ne sait rien du complot qui se prépare. Challe, ancien commandant en chef en Algérie, est arrivé secrètement la veille. Il avait quitté l'uniforme peu de temps auparavant pour un poste à Saint-Gobain. Hélie Denoix de Saint Marc se laisse convaincre de s'emparer d'Alger et d'en neutraliser les états-majors et les responsables de haut niveau. Sa présence à la tête d'une troupe expérimentée et hautement disciplinée offre une garantie contre de possibles « bavures ». Le général Challe n'est lui-même entré dans le complot que le 12 avril précédent, en accord avec les généraux Edmond Jouhaud et André Zeller.

L'orage gronde depuis longtemps. Le 13 mai 1958, l'armée a moins renversé la IVe République qu'elle ne l'a laissée choir de crainte de voir le Gouvernement traiter avec les dirigeants algériens. Elle se résigne en Algérie, avec Raoul Salan, à l'arrivée au pouvoir du seul homme capable, croit-elle, de mettre fin victorieusement à la guerre. Le 16 septembre 1959, le général de Gaulle évoque trois solutions : sécession, « francisation », association. Les partisans de l'intégration s'estiment floués par l'homme qu'ils se flattent d'avoir fait roi. Fin janvier 1960, le général Jacques Massu est rappelé à Paris à la suite d'une interview où il critique le chef de l'État. La réaction des ultras civils est violente. [...] Impavide, le chef de l'État [...] annonce un référendum sur sa politique algérienne le 8 janvier 1961. Un premier complot avorte en décembre, pendant une visite du général de Gaulle. Le 28, le maréchal Juin, originaire d'Algérie, adresse, dans une lettre ouverte, un « cri d'alarme » au président de la République. Seize généraux en retraite ou dans la réserve signent une *Lettre aux Français* les invitant à « voter massivement "non" le 8 janvier et sont suivis par plusieurs autres. Mais la métropole approuve de Gaulle par 75 % des votants, l'Algérie par 69 %. L'armée a fait voter « oui » par les musulmans qu'elle contrôle...

Dès lors, tous les moyens sont bons pour faire céder le pouvoir. Les colonels mutés en métropole après l'affaire des barricades, assistés des traditionnels comploteurs d'extrême droite, recherchent un chef de file prestigieux. Du côté de l'étranger, seule l'Afrique du Sud raciste se serait montrée favorable, si le succès était rapide. Le samedi 22 avril à l'aube, la radio d'Alger, ex-France V, qui s'intitule Radio France, annonce : « *L'armée s'est assurée du contrôle du territoire algéro-saharien* ». Dans la nuit, le 1er régiment étranger de parachutistes s'est emparé de la ville sans coup férir. Les trois généraux « rebelles » font arrêter le délégué général du gouvernement, Jean Morin, les généraux Fernand Gambiez, commandant en chef, Vézinet, commandant le corps d'armée d'Alger, Saint-Hilier, commandant de la 10e division parachutiste, le ministre des Transports, Robert Buron, en visite. Tout le monde sera transféré au Sahara, à l'*Hôtel Atlantique* d'In-Salah.

À Paris, la police réagit et arrête dans la matinée certains membres du complot : le général Jacques Faure, six autres officiers et quatre civils. La préfecture de police, l'Élysée et le ministère de l'Intérieur, l'Assemblée nationale et le quartier des ministères devaient tomber aux mains d'éléments militaires et civils en armes, mais il ne restera du complot que quelques attentats au plastic : un mort à Orly, des blessés à la gare de Lyon. Et bien des inspirations et des complicités inconnues. Le général de Gaulle, qui a assisté à une représentation de *Britannicus* à la Comédie-Française, est réveillé à l'aube. Le ministre des Affaires algériennes, Louis Joxe, et le général Jean Olié, chef d'état-major général de la Défense nationale, s'envolent pour organiser la résistance.

Conseil des ministres à 17 heures : « *Ce qui est grave dans cette affaire, messieurs, c'est qu'elle n'est pas sérieuse* ». L'état d'urgence est décrété. Les partis de gauche et les syndicats, la Ligue des droits de l'homme appellent à manifester

« l'opposition des travailleurs et des démocrates au coup de force d'Alger ».

Le voyage de Louis Joxe et du général Olié est un semi-échec. Challe a donné l'ordre d'intercepter leur avion, sans l'abattre. Ils sermonnent vainement à Constantine le général Gouraud, dont la position varie d'heure en heure. Le commandant de l'aviation dans la région, le général Pierre Fourquet, lui, anime la résistance. Après une escale à Mers-el-Kébir, les deux émissaires regagnent Paris.

Challe compte ses moyens. Il a téléphoné toute la journée pour convertir à son entreprise des chefs militaires que les colonels lui avaient dit être prêts à le suivre. La plupart cherchent des faux-fuyants. Le général de Pouilly, à Oran, prend du champ avec le préfet de région Gély. Le général Ailleret, à Bône, s'oppose au putsch, le général Jean Simon, en Kabylie, s'esquive pour n'être pas capturé. La maison mère de la Légion étrangère, à Sidi Bel Abbès, ne « bascule » pas : le colonel Brothier ne veut pas mêler des étrangers aux affaires françaises.

Pourtant, à quelques exceptions près, l'ancien commandant en chef peut compter sur ces « réserves générales » qu'il a conduites à la victoire. Sept régiments aéroportés, le régiment étranger de cavalerie, avec ou sans leur colonel, se mettent à ses ordres et quittent leur base pour obliger la grande masse de l'armée d'Algérie à suivre le mouvement.

Le dimanche 23 avril, Salan arrive d'Espagne, où la police n'a pas réussi à le retenir. Mais Serano Suner, ancien ministre de Franco, lui a dit : *« Vous avez perdu. Les généraux d'Alger n'ont fait fusiller ni Morin ni Gambiez ».* Il prend en main les problèmes des Européens, Jouhaud étant chargé des musulmans. Cependant, Challe, de plus en plus isolé, refuse d'armer les activistes civils, qui n'en arrêtent pas moins gaullistes et libéraux.

À 20 heures, le général de Gaulle, en uniforme, paraît à la télévision : *« Un pouvoir insurrectionnel s'est installé en Algérie par un* pronunciamiento *militaire. Ce pouvoir a une apparence : un quarteron de généraux en retraite.* [...] *Au nom de la France, j'ordonne que tous les moyens, je dis tous les moyens, soient employés pour barrer la route de ces hommes-là... J'interdis à tout Français et d'abord à tout soldat d'exécuter aucun de leurs ordres...* » Il conclut : « *Françaises, Français, aidez-moi.* »

« *Cinq cent mille gaillards munis de transistors* », comme il dit du contingent, ont entendu cet appel à la désobéissance légitime. Les appelés réclament de leurs chefs qu'ils prennent position pour Paris, refusent souvent d'exécuter leurs ordres. Une révolte ? Plutôt une grève... Plusieurs officiers ont pris le maquis et somment leurs camarades de rentrer dans la légalité. Challe libère et expédie en métropole le contingent 58/2 C : les jeunes soldats craignent d'être bloqués outre-Méditerranée loin de leurs familles. À 0 h 45, Michel Debré paraît à la télévision. [...] « *Dès que les sirènes retentiront*, ordonne-t-il, *allez [sur les pistes des aérodromes], à pied ou en voiture, convaincre ces soldats trompés de leur lourde erreur.* » Dans la cour du ministère de l'Intérieur, énarques du club Jean-Moulin, gaullistes de toujours, médecins, avocats, journalistes enfilent des uniformes neufs. Les syndicats décident pour le lendemain une grève générale d'une heure, qui sera massivement suivie. Le lundi matin, les jeux sont faits. Cinquante avions de chasse et de transport gagnent la métropole. Le général André Martin, alors chef d'état-major des armées, nous dit : « *Challe sait qu'il a perdu. Il va redistribuer les cartes en renvoyant les unités à leur point de départ et rentrer en France* ».

Le mardi 25 avril, contre l'avis des trois autres généraux, Challe prend contact avec Paris. Sur le Forum, devant l'immeuble du gouvernement général, où la foule avait écouté les appels à la lutte, on entendit avec désespoir, dans la nuit, la voix d'un jeune journaliste de la radio, André Brière, qui annonçait : « *Ici France V* ». L'émetteur redevenait la voix de la métropole. Zeller se fondit dans la foule. Lentement, le 1er REP et son chef, toujours fidèles à Maurice Challe, repartirent pour leur cantonnement de Zeralda. Saint Marc se constitua prisonnier. Ses hommes s'embarquèrent pour le bled en chantant la chanson d'Édith Piaf « Non, je ne regrette rien ».

Challe se livra et fut aussitôt transféré en métropole. Salan et Jouhaud prirent la tête de l'OAS. L'armée n'avait pas « *basculé* » et ne basculera pas. Seuls parmi les cadres, les partisans acharnés de l'Algérie française entrent dans la lutte clandestine, discrètement appuyés par ceux de leurs camarades qui regrettaient leur attentisme d'hier. Malgré la folie destructrice et sanglante de l'OAS, la voie était ouverte au général de Gaulle pour le désengagement de la France en Algérie.

Jean PLANCHAIS, *23 avril 2001*

Sanglante manifestation algérienne à Paris

« *Les journaux de l'époque ont écrit que le FLN nous avait forcés à manifester* » : Aïcha éprouve encore aujourd'hui le besoin de démentir. Elle se revoit sautiller de joie en entendant la consigne de manifestation. Elle a alors quinze ans et n'a jamais vu cette capitale à quatre kilomètres de laquelle elle vit depuis sa petite enfance. Le bidonville de Nanterre est comme une enclave, un monde à part : aucun Français n'y vient jamais, pas même les médecins. Le 17, à la même heure, dans la commune voisine de Bezons, Abdelkader enfile son costume du dimanche. Ses fils lui demandent encore une fois de l'accompagner ; Abdelkader réitère son refus, sans explication : comment leur dire qu'ils ont, eux, toute la vie pour se sacrifier ? Comme la plupart des quatre cents mille Algériens immigrés en France, Abdelkader passe désormais sa vie à se faufiler entre les rafles. La police arrête n'importe où, et n'importe quel Algérien peut se retrouver aux mains des harkis.

Tous les Algériens de la banlieue nord-ouest ont rendez-vous au rond-point de la Défense, d'où ils doivent descendre ensemble vers Paris par le pont de Neuilly. Mohamed, responsable du FLN, attend les manifestants ; il essuie une dernière fois la boue qui macule toujours les chaussures au sortir du bidonville. « *Être digne et pacifique*, murmure-t-il, *ne provoquer aucune violence* » : telles sont les consignes données par la direction de la fédération de France du FLN, qui est réfugiée en Allemagne. Mohamed ne doute pas que cette manifestation, qui est la première depuis le début de l'insurrection, en 1954, sera massive. Il songe à celle de décembre 1960 à Alger, dévalant vers le centre-ville aux cris de « Vive l'indépendance ! ». Les habitants des faubourgs avaient bousculé l'opinion de la métropole. La Fédération de France, à la veille de la reprise des négociations, veut rééditer le coup. Mohamed sait aussi que la direction en attend un renforcement de son poids politique par rapport au reste du FLN. Le préfet de police de Paris fournit le prétexte de la manifestation en conseillant « *aux Français musulmans de ne plus sortir après 20 h 30, et de fermer leurs bars à 19 heures* ». Cette consigne ne peut être officielle puisque discriminatoire : elle instaure *de facto* un couvre-feu raciste. Le 17 octobre, aucune organisation française ne l'a encore dénoncée, les Français musulmans vont donc la braver.

Claude Toulouse a passé sa vie au sein de la police. En 1961, il était brigadier. Trente ans plus tard, il est l'un des rares à accepter d'évoquer cette période. Ses collègues restent muets, comme si la guerre qu'ils ont faite n'était toujours pas achevée et qu'il fallait encore la tenir secrète. Le 17 au soir, Claude Toulouse quitte son service dans une ambiance électrique. Depuis midi, la préfecture sait que le FLN a prévu plusieurs manifestations en soirée qui seront suivies, le 20, par des rassemblements de femmes devant les prisons. Toutes les portes de Paris sont gardées, des bus réquisitionnés stationnent déjà à côté des cars de police, la brigade du soir est tout excitée à l'idée de « *casser du raton* ». Claude Toulouse frissonne ; il pense que, si la guerre continue, la police sera brisée comme l'armée. À la tête de la préfecture de police parisienne depuis mars 1958, Maurice Papon applique à Paris les méthodes de l'armée en Algérie. Il a instauré dans les banlieues des répliques des SAS, ces unités militaires prétendument chargées de protéger les populations. Il a installé les harkis dans la capitale. Débarqués d'Algérie, ces « volontaires » interpellent et torturent pour le compte de la police française.

À ce climat de terreur, le FLN a répondu en renouant avec les attentats contre des policiers. D'août à octobre 1961, seize d'entre eux ont été tués. Peur et soif de vengeance se ressentent dans tous les commissariats. Le couvre-feu les rassure à peine. Maurice Papon, devant des policiers réunis pour les obsèques d'un de leurs camarades, déclare alors : « *Pour un coup, vous pourrez en rendre dix* ». De leur côté, les dirigeants de l'OAS constituent des réseaux au sein de la police. Certes, le général de Gaulle négocie mais souhaite, comme il l'a dit juste avant l'ouverture des discussions d'Évian, un FLN à genoux. Claude soupire : tous les coups sont désormais permis. Le premier choc se produit entre 19 h 30 et 20 heures. Une première vague de manifestants descend vers le pont de Neuilly. Aïcha aperçoit soudain le cordon de policiers, de harkis et de CRS, et comprend qu'elle n'entrera pas dans Paris. Autour d'elle, le cortège esquisse un mouvement de recul. Un homme, au contraire, fait un pas en avant. Il n'est pas militant mais, ce soir, il semble vouloir entraîner la petite foule. Un coup de feu part. Lamar Achemoune tombe : il sera l'une des deux seules victimes que le bilan officiel comptabilisera. Aïcha s'enfuit au milieu des bruits et des cris : « *Autour de moi, des hommes renversaient des voitures pour nous protéger* ». Une deuxième vague de manifestants heurte la première qui reflue. La police charge de nouveau violemment. Juste avant d'être arrêté, Abdelkader aperçoit le cadavre d'un enfant.

Sur la place de l'Étoile, Josette, qui appartient à un réseau de solidarité avec le FLN, tourne en rond, hagarde, sous la pluie. Depuis une heure, elle assiste à la même scène : des Algériens débouchent du métro les mains en l'air, des policiers les matraquent, les bousculent, les renversent avant de les embarquer dans des cars de police. Il lui semble qu'elle devient folle ou invisible : aucun policier ne prête attention à sa présence. La nasse policière filtre les seuls Algériens, la police opère sans se soucier du regard des Parisiens, qui, dans leur majorité, passent de toute façon indifférents.

Les Algériens, finalement, ne réussissent à former un cortège que sur les Grands Boulevards. Une heure durant, ils parviennent à défiler entre les restaurants et les cinémas. Mais, là aussi, des tirs dispersent la manifestation. À minuit, le communiqué de la préfecture tombe : trois personnes ont trouvé la mort ; deux Algériens et un citoyen français ont été tués par balles. Sur 30 000 manifestants, 11 538 ont été arrêtés. La préfecture a réquisitionné le Palais des sports et le stade Pierre-de-Coubertin, où sont regroupées respectivement 7 000 et 2 000 personnes.

Le lendemain, en reprenant son travail, Claude Toulouse comprend que la rafle s'est accompagnée d'un déchaînement de violences sans précédent. Affecté à la surveillance du stade Pierre-de-Coubertin, il découvre des centaines d'Algériens blessés restés sans soins. Goguenards, ses collègues lui expliquent qu'ils ont dressé des « comités d'accueil » au sortir des cars et roué de coups les prisonniers qui en descendaient. Il apprend aussi qu'aux ponts de Neuilly et d'Asnières des corps ont été jetés dans la Seine. Quelques jours plus tard, un tract signé par un mystérieux groupe de policiers républicains décrit et dénonce quelques-uns de ces faits. M. Monate, secrétaire général du Syndicat général de la police, dément ce texte. Vingt et un ans plus tard, il l'estimera vrai à 100 %. Des élus Claude Bourdet au conseil municipal, Gaston Defferre au Sénat réclament en vain une commission d'enquête. Ils sont soutenus par le groupe communiste et des personnalités isolées comme Eugène Claudius-Petit. Après bien des manœuvres, le ministre de l'Intérieur, Roger Frey, réussit à enterrer la proposition. L'émotion soulevée ne suffit pas à obliger le gouvernement à rendre des comptes. Certes, toutes les autorités religieuses et morales du pays, les syndicats et le Parti communiste s'indignent sur le papier. Mais seules une pincée d'étudiants et d'intellectuels à Paris et une poignée d'ouvriers en banlieue osent exprimer cette émotion dans la rue.

L'écho de ces indignations ne parvient pas jusqu'au bidonville d'Aïcha et de sa sœur Fatima. [...]

Anne TRISTAN, *21 octobre 1991*

1962

ENTRE PAIX ET GUERRE CIVILE

22 au 24 janvier 1962 : nombreux attentats OAS à Paris contre des partisans de la négociation avec le GPRA.

8 février : manifestation à Paris contre l'OAS : 8 morts et plus d'une centaine de blessés.

11 février : rencontre secrète près de la frontière suisse entre des représentants du gouvernement français et du GPRA.

22, 24 au 25 février : ratonnades et attentats à Alger : 109 morts.

4 mars : reprise des négociations officielles à Évian.

15 mars : l'OAS assassine des responsables de centres sociaux d'Alger dont l'écrivain Mouloud Feraoun.

18 mars : conclusion des accords d'Évian.

19 mars : cessez-le-feu en Algérie. L'OAS décrète la grève à Alger et Oran. Elle est largement suivie.

23 mars : l'OAS ouvre le feu sur les forces de l'ordre en plusieurs points d'Alger.

Décret d'amnistie pour les condamnés algériens. Ils sont près de 20 000.

25 mars : le patron de l'OAS-Oran, l'ex-général Jouhaud, est arrêté.

26 mars : sanglantes fusillades à Alger, rue d'Isly, entre manifestants européens et force de l'ordre.

8 avril : la politique algérienne du général de Gaulle est approuvée par référendum avec 90,70 % des suffrages exprimés.

20 avril : Raoul Salan est arrêté.

19 mai : l'exode des Européens d'Algérie se transforme en panique.

15 juin : l'OAS dynamite l'hôtel de ville d'Alger et endommage sérieusement l'hôpital Mustapha.

17 juin : négociation entre l'OAS et le FLN.

1er juillet : référendum en Algérie ; l'indépendance du pays est adoptée à la quasi-unanimité : 5 994 000 voix sur 6 034 000 votants.

3 juillet : le général de Gaulle reconnaît officiellement l'indépendance de l'Algérie. Arrivée du GPRA à Alger.

22 août : le général de Gaulle échappe à un attentat OAS au Petit-Clamart.

Mourir à « Charonne »

En ce début de l'année 1962, la France n'en finit pas de vivre les derniers soubresauts de la guerre d'Algérie, et de les vivre mal. Voilà déjà plus d'un an que le référendum sur l'autodétermination du peuple algérien a eu lieu. Il a fait savoir que 75 % des électeurs qui s'y sont exprimés étaient favorables à cette perspective proposée par Charles de Gaulle. Depuis, bien des événements se sont succédé, de plus en plus tragiques. [...] L'opinion suit tant bien que mal l'évolution des négociations engagées à Évian, où Louis Joxe conduit la délégation française. Elle constate aussi la multiplication des attentats de l'OAS. Les premières semaines de 1962 voient les assassinats du général Ginestet, du colonel Mabille, du commissaire Goldenberg, du lieutenant-colonel Rançon, chef du deuxième bureau à Oran. La lutte est sans merci entre les clandestins de l'OAS et les non moins clandestins auxiliaires du pouvoir, sous le nom de « barbouzes ». Cet « entrezigouillement », selon un mot prêté à Charles de Gaulle, n'empêche pas l'OAS de tenir le haut du pavé et de défier l'État en l'assurant qu'elle « *frappe qui elle veut, où elle veut, quand elle le veut* ».

De fait, le 22 janvier 1962, une bombe déposée au ministère des Affaires étrangères, à Paris, tuera une personne et en blessera douze. Les « nuits bleues » se suivent. [...] Le 7 février, parmi une dizaine d'autres plasticages qui visent des parlementaires, des universitaires, des journalistes, il y a celui qui entend frapper André Malraux, 19 bis, avenue Victor-Hugo, à Boulogne-sur-Seine. Le ministre d'État chargé des affaires culturelles était absent, mais la charge, placée sur un rebord de fenêtre, projette des éclats de verre au visage d'une petite fille de quatre ans et demi, Delphine Renard. Tout le pays verra cette figure criblée de l'enfant aux yeux bleus, qui restera borgne.

Soupçons et désunion

Face à ce terrorisme, l'unité est loin d'être faite entre, d'une part, le gouvernement et le parti gaulliste et, d'autre part, les partis de l'opposition et les syndicats. Ceux-ci, depuis plusieurs semaines, jugent insuffisants les moyens de lutte contre l'OAS, au point de soupçonner le pouvoir de vouloir entretenir à son profit un climat de crainte propre à le conforter. Dès qu'est connu l'attentat de Boulogne-sur-Seine, un appel est lancé, invitant « *les démocrates à s'unir et à agir pour exiger des pouvoirs publics une action vigoureuse contre le terrorisme OAS* ». Les unions parisiennes de la CGT, de la CFTC, de l'UNEF, le SGEN, diverses sections de la FEN, que viendront appuyer ultérieurement le PSU et le PCF, invitent leurs adhérents et, d'une façon générale, la population parisienne à une manifestation d'envergure le jeudi 8 février, place de la Bastille. L'appel n'est pas vain. Il y aura bien foule à l'endroit et à l'heure fixés pour ce rendez-vous.

Mais les autorités ont décidé d'interdire la manifestation. Elles invoquent l'état d'urgence qui est effectivement en vigueur depuis le putsch des généraux et qui exclut tout droit à un rassemblement sur la voie publique. Les conditions, dès lors, sont réunies pour un affrontement. [...]

S'agissant de maintien de l'ordre, de sécurité, de lutte contre une subversion, c'est M. Roger Frey, ministre de l'Intérieur. S'agissant de la Ville de Paris, l'affaire se trouve normalement entre les mains du préfet de police. M. Maurice Papon occupe ce poste depuis mars 1958. Auparavant, cet inspecteur général de l'administration en mission extraordinaire avait été préfet de Constantine, en Algérie. Cela lui avait permis de bien connaître le terrorisme du FLN, de se roder aux techniques de ce qu'il était convenu d'appeler la pacification. Cependant, en un temps où l'on parlait de tortures, la commission de sauvegarde des droits de l'homme et des libertés individuelles lui avait délivré un satisfecit en saluant son souci de respect de la légalité.

Depuis qu'il est préfet de police à Paris, M. Papon a été maintes fois pris à partie par les élus de la gauche au conseil général de la Seine. Des articles sévères ont été écrits. Ce n'est pas, en ces années-là, que l'on se soucie, dans l'opposition, de ses activités de secrétaire général de la préfecture de la Gironde de 1942 à 1944. Ce qui lui est reproché, c'est une vigueur tenue pour excessive, un goût immodéré pour les saisies de journaux, une conduite par trop répressive, une main de fer sans même le gant de velours. MM. Claude Bourdet et Gilles Martinet sont parmi les plus vigoureux accusateurs de celui que l'un d'eux appela « *un homme dangereux pour l'État et son chef* ».

C'est en tout cas M. Papon qui, dans le crépuscule du 8 février 1962, a fait disposer place de la Bastille des effectifs de police suffisants pour que l'accès en soit impossible aux manifestants. Ceux-ci, pourtant, sont à proximité. Porteurs de pancartes, de banderoles ou mains aux poches, ils se font pressants aux cris de « OAS-assassins ! ». Tandis que, du côté des policiers, on sent comme une impatience d'entendre sonner l'ordre de la charge.

À partir de 18 h 30, tout dégénère. La police a chargé. Parmi les manifestants, le plus grand nombre reflue dans les rares voies laissées ouvertes puis refermées à la façon d'un piège. Les points de friction se multiplient dans tout le secteur Bastille-Nation-République. Les plus ardents font face aux policiers, ripostent et parfois les pressent. Ce pourrait n'être encore qu'une affaire ordinaire. Les choses se gâtent après 19 h 30. Une succession de bagarres, boulevard Voltaire, a conduit un certain nombre de manifestants à refluer tant bien que mal et à se retrouver à la hauteur de la station de métro Charonne. Les grilles, qui en avaient été fermées à la fin de l'après-midi, le sont restées [1]. Partout la situation s'est envenimée. Des policiers, cernés par des manifestants, ont dégainé. L'un d'eux au moins a tiré pour se dégager. Mais il n'y aura aucune victime par balle. Il y aura pire.

1. Selon le témoignage de Claude Bouret, les grilles du métro n'ont jamais été fermées.

Voici ce qu'a dit dans l'heure M. Claude Bouret, vice-président de l'union parisienne CFTC, de ce qui se passa au métro Charonne entre 19 h 30 et 20 heures.

« *La dispersion s'amorçait quand les policiers ont déclenché une charge, fonçant sur nous, bâtons en l'air. La foule a reflué dans le boulevard Voltaire, et bon nombre de personnes, voyant s'ouvrir sur leur chemin la bouche du métro Charonne, s'y engouffrèrent. La précipitation fut telle que les premiers rangs se trouvèrent écrasés au bas des escaliers par ceux qui se pressaient derrière eux, si bien que tous tombèrent les uns sur les autres au point que les premiers se trouvèrent enfouis sous quinze couches humaines. Le gros de la charge de police poursuivit son chemin boulevard Voltaire, mais un groupe des forces de l'ordre, voyant la cohue devant la bouche de métro, s'acharna sur elle, matraquant d'abord les derniers manifestants qui cherchaient encore à s'y engouffrer. Les corps de ceux qui furent ainsi assommés furent jetés par-dessus la rambarde sur la masse des gens bloqués dans la bouche, et, pour finir, les policiers jetèrent sur le tas humain des grilles d'arbres.* »

Lorsque les grilles du métro cédèrent enfin sous la pression des malheureux et qu'il leur fut possible de parvenir au quai du métro, ils s'y retrouvèrent dans l'opacité suffocante de la fumée des grenades lacrymogènes dont leurs poursuivants les accablaient encore.

Il restait à dresser sans fierté le lugubre bilan. Parmi les manifestants, on comptait huit morts, tous au métro Charonne. L'autopsie des corps confirma qu'aucun n'avait été tué par arme à feu. C'est à une asphyxie provoquée par la compression de la foule, accompagnée pour deux d'entre eux d'infarctus du myocarde, qu'ils avaient succombé. À ces morts s'ajoutaient cent dix blessés chez les participants à la manifestation et deux cent quarante-six parmi les policiers.

La faute à qui ? Rien n'est jamais simple. La stupeur, d'abord, l'emporta sur la polémique et l'apostrophe. Dans la presse, dans les organisations syndicales et politiques mais aussi au ministère de l'Intérieur et à la préfecture de police. [...]

Le temps passa sans que l'enquête annoncée donnât de résultat. L'information judiciaire fut clôturée en 1967 par une ordonnance de non-lieu. Du moins un document figura au dossier qui apporte un éclairage et peut-être bien une explication. Il fut trouvé ultérieurement dans les archives de l'OAS métropole. Il se rapporte au mois de février 1962, et on y lit : « *Opération provocation à la manifestation du 8 réalisée par un groupe de trente hommes répartis en quatre entre Charonne et Bastille. Une partie du personnel était équipée de "bidules" authentiques*[1]. *La suite est connue. Coût de l'opération : 90 000 francs.* »

Quarante jours après « Charonne », le 18 mars 1962, les accords d'Évian étaient signés. Certes, l'OAS fit encore parler d'elle jusqu'à l'automne. Elle ne pouvait pourtant plus douter de son échec. Le défilé silencieux, dans la grise matinée du 13 février 1962, de cinq cent mille personnes accompagnant huit cercueils au Père-Lachaise, volontairement ou non, n'exprimait pas seulement la réprobation de méthodes policières. Le poids du deuil, en plus, représentait ce qu'aurait dû et pu être, dans la même gravité, sans la faute des impulsifs, la manifestation du 8, une levée en masse contre les ultras de toujours et de tous genres.

Jean-Marc THEOLLEYRE, *10 février 1992*

Les accords d'Évian

Le dimanche 18 mars 1962, au terme de onze jours de négociations, les plénipotentiaires français et les délégués du FLN commencent à parapher dans un salon de l'*Hôtel*

1. Longs bâtons en bois dont étaient dotées les forces de l'ordre.

du Parc à Évian les accords mettant fin aux combats qui durent depuis le 1er novembre 1954 en Algérie.

Comme chaque matin, les Algériens sont venus de Genève à bord d'hélicoptères de l'armée suisse, les deux délégations ont déjeuné frugalement et, comme toujours, séparément. Il est un peu moins de 15 heures lorsque commence la longue séance de signature précédée du paraphe des quatre-vingt-treize pages des documents.

L'annonce formelle de l'accord ne sera faite à la presse qu'à 18 h 45 avec la lecture d'un communiqué officiel par le chef de la délégation française, Louis Joxe, ministre d'État chargé des affaires algériennes. Mais trois heures auparavant le monde entier a déjà appris que « *le cessez-le-feu est conclu à Évian* ». [...]

Dès 16 heures, au moment où tombait le flash de l'agence Reuter, le général de Gaulle, demeuré à l'Élysée ce jour-là, était également informé directement par Louis Joxe que l'accord sur le fond des problèmes était conclu. Le président enregistre alors l'allocution radiotélévisée qui sera diffusée à 20 heures. À peu près au même moment, à Tunis, Ben Khedda, le président du GPRA, le Gouvernement provisoire de la République algérienne, adresse un message au « *peuple algérien* » pour « *sa grande victoire* » et salue « *le droit à l'indépendance* » qui lui est reconnu par ces accords.

Révolte des pieds-noirs

De Gaulle, dans son allocution, ne prononce à aucun moment le mot « *accord* », lui préférant des formules plus neutres du genre « *ce qui vient d'être décidé* ». Il juge cependant que cette « *solution de bon sens* » est la réponse à « *trois vérités claires comme le jour* » qu'il résume ainsi : « *La conclusion du cessez-le-feu en Algérie, les dispositions adoptées pour que les populations y choisissent leur destin, la perspective qui s'ouvre sur l'avènement d'une Algérie indépendante coopérant étroitement avec nous, satisfont la raison de la France.* » Le général espère que les deux peuples pourront « *marcher fraternellement ensemble sur la route de la civilisation* ».

On est donc bien loin des formules comme « *L'Algérie, c'est la France* » ou « *La seule négociation, c'est la guerre* », employées en 1954 par le ministre de la Justice, François Mitterrand, qui, il est vrai, reflétaient alors le sentiment général de l'époque. Ainsi, après huit ans d'une guerre qui n'a jamais voulu dire son nom, les combats cessent-ils officiellement sur le terrain le lundi 19 mars à midi entre les troupes françaises et les fellaghas de l'ALN, l'Armée de libération nationale.

Cet événement historique [...] est accueilli avec soulagement et un brin d'indifférence par la métropole. En revanche, de toutes les capitales, et notamment de celles des États du tiers-monde, les messages de félicitations affluent à Paris et à Tunis. Mais, en Algérie, la situation s'assombrit et les violences se déchaînent, révélant le désespoir de la population européenne qui s'estime sacrifiée puisque son statut collectif n'a pas été défini dans les accords et que la protection des droits individuels y paraît très vite tout à fait illusoire. Depuis plus d'un an, la grande majorité des pieds-noirs ont placé toute leur confiance dans l'OAS qui, par la violence, fait régner sa loi. Et aussi dans certains cadres de l'armée de carrière qui se sentent trahis et humiliés, et dont certains sont devenus des « *soldats perdus* ».

Les attentats commis par les commandos de l'organisation secrète se multiplient contre des personnalités libérales françaises ou musulmanes pendant toute la durée des négociations d'Évian sur l'ordre de l'ex-général Salan, qui lance même une « *offensive générale* ». À Alger comme à Oran, des fusillades provoquent de nombreux morts.

Le 23 mars, Bab-el-Oued, un des quartiers populaires de la capitale, est en état d'insurrection, et le 26 une autre fusillade au centre de la ville, rue d'Isly, oppose les forces de l'ordre à la foule, parmi laquelle on dénombrera une cinquantaine de tués. La rupture est désormais totale entre l'armée et les pieds-noirs. Elle se traduira par l'exode massif vers la France de presque toute la population européenne qui redoute que l'indépendance prévue pour le mois de juillet ne s'accompagne de massacres de la part d'un FLN politiquement victorieux, même s'il est militairement battu. D'ultimes négociations, fin juin, entre le FLN et l'OAS n'arrêteront pas vraiment les attentats. De nombreux supplétifs musulmans, les harkis et leurs familles, s'embarquent aussi pour la France par crainte des représailles dont ils ont eu déjà beaucoup à souffrir, dont ils souffriront encore beaucoup.

Les « précautions » du général de Gaulle

[...] Ainsi prenaient fin, en ce dimanche froid et sous un ciel gris bien peu printanier, au bord du lac Léman, cent trente-deux ans d'une colonisation qui avait transformé l'Algérie en départements français.

La marche vers l'indépendance de l'Algérie avait certes été entamée, dans l'esprit des rebelles, dès le jour de la Toussaint 1954 dans les montagnes des Aurès. Quatre ans plus tard, en arrivant au pouvoir, de Gaulle était convaincu que l'indépendance était inéluctable. Au cours d'un entretien, le 6 mai 1966, il nous avait en effet déclaré : « *De tout temps, avant que je revienne au pouvoir et lorsque j'y suis revenu, après avoir étudié le problème, j'ai toujours su et décidé qu'il faudrait donner à l'Algérie son indépendance. Mais imaginez qu'en 1958, quand je suis revenu au pouvoir et que je suis allé à Alger, imaginez que j'aie dit sur le Forum qu'il fallait que les Algériens prennent eux-mêmes leur gouvernement, mais il n'y aurait plus eu de de Gaulle, immédiatement !* » Le général avait alors fait un large geste de la main pour indiquer qu'il aurait été balayé. Il avait ajouté : « *Alors il a fallu que je prenne des précautions, que j'y aille progressivement et, comme ça, on y est arrivé. Mais l'idée simple, l'idée conductrice, je l'avais au début.* »

Ces précautions, de Gaulle les prend en lançant le 4 juin 1958, du balcon du gouvernement général sur le Forum, à la foule algéroise l'énigmatique et ambigu « *Je vous ai com-*

pris », et deux jours après à Mostaganem le troublant et fallacieux « *Vive l'Algérie française !* »

Il commence cependant à les abandonner dans son discours de Constantine du 16 septembre 1959, dans lequel il propose la procédure d'autodétermination accompagnée de la « *paix des braves* », et lorsqu'il évoque « *le gouvernement des Algériens par les Algériens* [...] *en union étroite avec la France* », qui a ses préférences, mais aussi une indépendance éventuelle alors que le 20 septembre 1958, à Rennes, il avait affirmé que « *l'indépendance est impossible* ». Le discours de Constantine est ainsi le point de départ d'un processus qui d'ailleurs n'échappe pas au FLN puisque, douze jours après, le GPRA accepte officiellement le principe du recours à l'autodétermination. Dès avril 1959, de Gaulle n'avait-il pas confié au député d'Oran Pierre Laffont que « *l'Algérie de papa est morte* » ?

On entre à partir de ce moment dans l'ère des contacts secrets, des émissaires clandestins, des voyages en Suisse que Georges Pompidou, notamment, effectuera pour amorcer le dialogue. Le futur Premier ministre, qui, après avoir dirigé le cabinet du général à Matignon, est retourné à la banque Rothschild, fait ainsi deux voyages discrets à Lucerne les 20 février et 5 mars 1961, en compagnie du diplomate Bruno de Leusse, pour nouer les premiers contacts avec le FLN, au nom du général.

Le pétrole du Sahara

Il s'agit notamment d'effacer l'échec de la rencontre de Melun de juin 1960, car, à l'époque, le gouvernement français n'admettait pas encore la représentativité du FLN. De plus, ce dernier avait évincé son chef d'alors, l'ancien député Ferhat Abbas. Or, pour de Gaulle, la situation évolue dans le sens qu'il souhaitait malgré les obstacles, les retards, les révoltes, comme la semaine des barricades d'Alger en janvier 1960, les massacres du FLN sur place et les attentats de l'OAS, ces « nuits bleues » qui se multiplient à

Paris. Poursuivant son objectif, il organise même un référendum le 8 janvier 1961 pour faire approuver le principe de la future autodétermination de l'Algérie, et le « oui » l'emporte avec 75 % des suffrages.

Il pousse les feux, du côté diplomatique, tout en intensifiant l'action militaire sur le terrain, qui aboutira à mettre hors de combat un grand nombre de fellaghas et à empêcher beaucoup de katibas de pénétrer en Algérie depuis leurs bases tunisiennes.

En février, de Gaulle reçoit à Rambouillet le président tunisien Habib Bourguiba, dont tout le monde comprend qu'il remplit une mission de bons offices. Le GPRA vient d'ailleurs d'accepter d'entrer en négociation, et la première rencontre commence effectivement à Évian le 20 mai 1961, alors que le maire de la ville, Camille Blanc, a été tué par un attentat de l'OAS le 31 mars, dès l'annonce des pourparlers. Ces derniers sont cependant interrompus le 13 juin, reprennent à Lugrin en zone frontalière avec la Suisse le 20 juillet, et sont suspendus *sine die* huit jours plus tard. L'échec de ces rencontres est alors dû à l'exigence de de Gaulle d'appliquer un régime particulier au Sahara où la France a découvert du pétrole et où elle procède à ses essais nucléaires, alors que le GPRA le considère comme partie intégrante de l'Algérie.

Ce n'est qu'en février 1962 que des pourparlers secrets sont organisés dans le Jura, aux Rousses, dans un entrepôt des travaux publics. Du côté français, trois ministres qui se retrouveront à Évian, Louis Joxe, Robert Buron et Jean de Broglie. Du côté FLN, Krim Belkacem et cinq autres responsables passent la frontière en fraude avec la complicité des douaniers et du préfet !

C'est là que l'essentiel des documents sera mis au point. [...]

André PASSERON, *15-16 mars 1992*

Alger, le 26 mars 1962 : La fusillade de la rue d'Isly

Depuis un an l'OAS faisait la loi dans Alger au nom de l'Algérie française. Depuis une semaine, l'entrée en vigueur des accords d'Évian avait embrasé la grande ville, et fait de Bab-el-Oued un énorme Fort-Chabrol crépitant de chahuts enfantins, mais tragiquement hérissé d'armes. Encerclé sinon « bouclé » par une troupe qui, le 23 mars, avait perdu sept des siens, tirés comme des lapins du haut des fenêtres drapées de linge et d'étendards tricolores, le berceau du peuple « pied-noir » vit en état de siège. La veille, un des responsables du service d'ordre avait montré à l'envoyé spécial du *Monde*, Alain Jacob, un tract qui lui avait paru invraisemblable, à lui qui avait pourtant vu tant de choses à Alger : les chefs de l'OAS y proclamaient que les forces françaises devaient dorénavant être considérées comme des troupes étrangères d'occupation...

Le 26 au matin, le commandement de l'OAS proclame la grève générale dans le Grand Alger et appelle ses fidèles à se rassembler, en principe sans armes, sur le plateau des Glières et au square Laferrière pour gagner ensuite Bab-el-Oued et briser l'encerclement du quartier, « où les enfants meurent de faim ». Dans la matinée du lundi 26, les généraux Ailleret, commandant en chef, et Capodano se préparent à l'épreuve de force imposée par l'OAS. Les ordres venus de Paris, et plus précisément de l'Élysée, sont nets : ne pas céder d'un pouce, couper court à l'émeute.

Ailleret et Capodano savent pourtant que toutes les troupes ne sont pas prêtes à de telles tâches, qui exigent autant de sang-froid que de discernement. Quand il a été question, quelques jours plus tôt, de faire appel au 4e régiment de tirailleurs algériens (RTA), son chef, le colonel Goubard, a mis en garde les généraux : c'est une excellente troupe au combat mais composée de paysans naïfs qui risquent de perdre la tête dans la fournaise d'Alger. Le général Ailleret acquiesce et donne l'ordre par écrit de ne pas engager le

4e RTA dans une telle affaire : cet ordre ne devait jamais être transmis.

Dès 14 heures, ce lundi – il fait beau, presque chaud déjà –, la foule s'amasse, très jeune, vibrante et fiévreuse. Pour elle, le problème est de crever les barrages qui interdisent l'accès du centre vers Bab-el-Oued par la rue d'Isly notamment. À l'entrée de cette artère essentielle d'Alger, un « bouchon » a été placé par le commandant Poupat, du 4e RTA (régiment de tirailleurs algériens) : ce régiment, dont l'emploi avait été si fort déconseillé, et dont le chef est en mission à 100 kilomètres de là, sera constamment au cœur de la mêlée. C'est le sous-lieutenant algérien Ouchene Daoud qui est responsable de la barricade. Lui et ses supérieurs ont voulu savoir dans quelles conditions leurs hommes pourraient le cas échéant, faire usage de leurs armes. Au siège de la Xe région, on leur a répondu : « *Si les manifestants insistent, ouvrez le feu...* » Mais nul n'a voulu confirmer cet ordre terrible par écrit.

À partir de 14 h 30, la foule est immense, et son audace croît. Des injures partent en direction des tirailleurs : « *Espèce de fellaghas !* » Les chefs de l'OAS sentent qu'ils sont peut-être sur le point de faire sauter le verrou et poussent en avant la foule surexcitée. Le jeune lieutenant algérien et ses hommes sont roulés comme une vague. À 14 h 45, une rafale de fusil-mitrailleur claque en direction de la troupe, du balcon du 64 de la rue d'Isly. « *On me tire dessus !*, lance dans son émetteur-récepteur le lieutenant Ouchene Daoud, *dois-je riposter ?* » Le PC du régiment donne le feu vert. Et c'est la mitraillade aveugle entrecroisée, sauvage. Puis ces cris de « *Halte au feu ! Halte au feu, je vous en supplie, mon lieutenant !* », que l'on entend comme des SOS de noyés, poussés par des voix blanches et déjà perdues.

Le carnage ne devait pas durer plus de quelques minutes. Mais ces minutes-là ont fait quarante-six morts et deux cents blessés, dont une vingtaine n'ont pas survécu, presque tous du côté des civils algérois. L'irrémédiable est accompli, les forces de la République ont tiré sur la foule

– ce que chacun, d'ailleurs, pressentait depuis des mois, le tenant pour inévitable, tant du côté du pouvoir que de celui de l'OAS. Pour horrible que soit le massacre, et graves les responsabilités de ceux qui n'ont pas su éviter l'engagement des forces les moins préparées à un tel affrontement, c'est l'OAS qui devait pâtir surtout de la tuerie : non seulement parce que ses responsabilités dans le déclenchement du feu sont lourdes, mais aussi parce que, ayant voulu engager l'épreuve de force après sa défaite de Bab-el-Oued, elle a perdu.

Les centaines de victimes de la rue d'Isly, le 26 mars 1962 jettent sur les accords d'Évian une tache de sang, une de plus. Mais cet « holocauste » marque le déclin décisif de ceux qui ont voulu éviter l'inévitable par l'émeute et la terreur. À dater du 26 mars 1962, l'OAS n'est plus qu'un fantôme qui sera réduit, moins de trois mois plus tard, à tenter de négocier pour son compte avec le FLN, non sans avoir poussé au pire sa politique du « retour à 1830 » et de la terre brûlée.

Jean LACOUTURE, *25 mars 1972*

Été 1962 : Oran, la ville d'apocalypse

Évoquant Oran dans le préambule de *La Peste*, Albert Camus écrivait : « *Une manière commode de faire la connaissance d'une ville est de chercher comment on y travaille, comment on y aime et comment on y meurt. Dans notre petite ville (est-ce l'effet du climat ?), tout cela se fait ensemble, du même air frénétique et absent. Mais, ce qui est original, c'est la difficulté qu'on peut y trouver à mourir !* »

Fin juin 1962 : Oran est devenue cette ville de la peste que Camus décrivait. Les ordures s'amoncellent au milieu de la rue. Les téléphones sont coupés. Les magasins éventrés vomissent leurs débris sur le trottoir par-dessus les chats crevés. Les petites rues en pente, vidées de leurs habitants, dégagent une puanteur sans nom. Le lundi 25 juin, à 17 h 45, c'est l'apocalypse dans le ciel de la ville. Les réservoirs à mazout de la British Petroleum ont été plastiqués, et 50 millions de litres de carburants brûlent. Vision dantesque de flammes qui montent souvent à plus de 150 mètres. Dans certains quartiers, il fait presque nuit, et cette « éclipse » dure deux jours. Des pompiers, aidés de fusiliers marins de Mers-el-Kébir, tentent de maîtriser l'incendie, tandis que les derniers desperados de l'OAS (Organisation de l'armée secrète) essaient, en tirant à la mitrailleuse sur les réservoirs voisins, d'étendre le désastre. Pourquoi est-ce à Oran que les derniers mois de l'Algérie française et les premiers jours de l'Algérie indépendante ont été les plus meurtriers, les plus terribles ?

Oran est la première ville d'Algérie où la population européenne dépasse en nombre la population musulmane. En 1961, les statistiques donnent, en gros, 400 000 habitants, dont 220 000 Européens et 180 000 musulmans. Cette proportion explique la particulière acuité du conflit dans cette deuxième cité de l'Algérie. Tout au long d'une histoire coloniale commencée en 1830, les mariages avaient brassé les descendants des communautés originelles métropolitaines, ibériques et italiennes ; venaient s'y ajouter quelques gouttes de sang grec ou maltais. Mais la plupart des Européens étaient des descendants d'émigrés espagnols qui, au milieu du siècle dernier, avaient fui la misère de leur pays. La proximité de l'Espagne facilite cette arrivée massive [...]. En 1931, on estime la population oranaise originaire d'Espagne à 65 % du total des Européens, 41 % étant déjà naturalisés. Cette influence espagnole se voit par le sens ibérique de l'hospitalité et par une religiosité puissante. Depuis 1849, l'église Notre-Dame-de-Santa-Cruz est la patronne qui veille sur la ville, le port, le rivage. Le catholicisme devient un puissant instrument de référence identitaire, face à des Algériens musulmans de plus en plus minoritaires et marginalisés. Les juifs d'Oran, naturalisés par le décret Crémieux de 1870 et victimes de violentes campagnes antisémites dans les années 1890, se groupent sur le plateau ouest de Karguentah. Et les « Arabes », comme on appelait à l'époque les Algériens musulmans, sont au sud de ce même plateau, dans ce qui est resté longtemps le « village nègre », avant de devenir la « ville nouvelle ».

Dans cette guerre d'Algérie qui dure déjà depuis sept ans, il semble impensable à la majorité de la population européenne de quitter Oran, de concevoir une indépendance sous l'égide du FLN. Certains hommes politiques français, au moment des négociations avec les indépendantistes algériens en 1961, avaient même envisagé la partition, avec Oran pour capitale, d'une nouvelle Algérie française ! Pour les commandos de l'OAS, dirigés dans l'Oranie par le général Jouhaud et par son adjoint le commandant Camelin, cette idée n'existe plus au début de l'année 1962. Le moment est à la radicalité extrême. Avec retard sur Alger, mais avec les mêmes moyens, l'OAS d'Oran se lance aussi dans le terrorisme, les coups de main spectaculaires, les hold-up dans des banques ou dans des entreprises pour se procurer des fonds, les expéditions sanglantes contre des Algériens musulmans. Ainsi, le 13 janvier 1962, six hommes de l'OAS, déguisés en gendarmes, se présentent à la prison d'Oran, où ils se font remettre trois militants du FLN condamnés à mort. Ils les exécutent quelques instants après. Le lendemain, quatre autres prisonniers du FLN s'évadent. L'OAS leur donne la chasse, les retrouve, les exécute. L'organisation activiste développe des émissions de radio pirate, publie un faux numéro de *L'Écho d'Oran*, le 6 février, tiré à vingt mille exemplaires, condamnant la « *politique d'abandon de de Gaulle* ».

Le 19 mars 1962, à midi, au moment où le général Ailleret, commandant en chef en Algérie, ordonne l'arrêt des combats, une émission pirate de l'OAS fait entendre la voix de Raoul Salan, qui, avec véhémence, condamne le cessez-le-feu et les accords d'Évian, puis donne l'ordre de « *harcèlement contre les forces ennemies* ». Le 20 mars, un détachement de l'OAS tire au mortier sur la casbah d'Alger : 24 morts et 60 blessés, tous Algériens. Le même jour, fusillades à Oran : 10 morts et 16 blessés. Le 26 mars, l'armée, débordée, tire sur une foule d'Européens à Alger. On relève 46 morts et 200 blessés rue d'Isly. Pendant qu'Alger connaît ces heures sanglantes, Oran est frappée de stupeur : le général Jouhaud et son adjoint Camelin sont arrêtés.

Le 28 mars, Abderrahmane Farès, président de l'« exécutif provisoire » mis en place après Évian, s'installe avec son équipe à la cité administrative de Rocher-Noir. Le 8 avril, un vote massif au référendum organisé par l'Élysée (90,7 % des suffrages exprimés, 24,4 % des électeurs n'ont pas participé au vote) donne au président de la République la capacité juridique « d'établir des accords et de prendre des mesures au sujet de l'Algérie, sur la base des déclarations gouvernementales du 19 mars 1962 ». Loin d'apaiser, les résultats de ce référendum poussent le commandement de l'OAS dans une folle escalade : la politique de la terre brûlée.

Le 24 avril au matin, à Oran, l'OAS s'attaque à une clinique, celle du docteur Jean-Marie Larribère, militant communiste très connu dans la ville. Deux femmes, dont l'une venait d'accoucher, échappent à la destruction complète de l'immeuble. Les plastiquages, les mitraillages, prennent une cadence infernale. Des gendarmes mobiles sont agressés, des blindés ripostent au canon de 20 mm et 37 mm. Les coups partent au hasard, contre des immeubles habités par des Européens. Des avions se mettent de la partie, avec leurs mitrailleuses lourdes. Le 23 avril 1962, le conseil de l'ordre des avocats d'Oran publie un communiqué dénonçant « *ces attaques contre une population civile qui seraient, en temps de guerre, contraires à la Convention de La Haye* [...]. *En temps de paix, et entre Français, elles dépassent l'imagination.* »

En dépit des consignes de l'OAS, qui interdit le départ des Européens (avec surveillance des agences de voyages), l'exode commence vers la métropole. Le 15 avril, le Chanzy débarque un premier contingent de « rapatriés » venant d'Oran. Les attentats de l'OAS ne cessent pas. On pourrait même dire que le terrorisme croît en violence : assassinats individuels de musulmans, chasses à l'homme, plastiquages, tirs de mortier.

À la fin du mois d'avril, une voiture piégée explose dans un marché, très fréquenté par les Algériens en ce moment de ramadan. C'est une première du genre (le 2 mai, le même procédé – une voiture piégée qui explose dans le port d'Alger – fait 62 morts et 110 blessés, tous musulmans). En mai, à Oran, quotidiennement, de 10 à 50 Algériens sont abattus par l'OAS. La férocité est telle que ceux qui habitent encore des quartiers européens les quittent en hâte. Chacun se barricade, se protège comme il peut. Certains musulmans quittent Oran pour rejoindre leurs familles dans les villages ou les villes n'ayant pas une forte population européenne. D'autres s'organisent en une sorte d'autonomie dans l'enclave musulmane. Des commissaires politiques du FLN font surface, une vie s'organise (approvisionnement, ramassage des ordures...). Mais, dans ce cycle infernal qui continue, avec les rafales d'armes automatiques résonnant çà et là, jour et nuit, que va-t-il advenir de la population européenne ? Surtout quand les troupes de l'ALN pénétreront dans la ville après la proclamation de l'indépendance ? Les dirigeants du FLN ont de plus en plus de mal à retenir une population musulmane exaspérée, et qui veut riposter. Les responsables de l'OAS encore en liberté savent pourtant que la partie est perdue. L'armée française n'a pas basculé en leur faveur, le moral est au plus bas après les arrestations de Salan, Jouhaud, Degueldre et l'échec d'un maquis de l'OAS dans l'Ouarsenis. Aucun espoir, non plus, à attendre de l'étranger. Et puis il y a cet exode, cette hémorragie qui se poursuit. Chaque jour, à partir de fin mai, ceux que l'on appellera plus tard les « pieds-noirs » sont de 8 000 à 10 000 à quitter l'Algérie, emportant hâtivement avec eux ce qu'ils ont de plus précieux.

Le 7 juin 1962 est un des points culminants de la politique de la terre brûlée. Les commandos Delta de l'OAS incendient la bibliothèque d'Alger et livrent aux flammes ses soixante mille volumes. À Oran, c'est la mairie, la bibliothèque municipale et quatre écoles qui sont détruites à l'explosif. Plus que jamais, la ville, où règne une anarchie totale, est coupée en deux : plus un Algérien ne circule dans la ville européenne. La décision de Paris d'ouvrir la frontière aux combattants de l'ALN stationnés au Maroc provoque une panique supplémentaire chez les Européens. Dans un fantastique désordre, l'Algérie se vide de ses cadres, de ses techniciens. Inquiet de la paralysie générale qui menace le pays, Abderrahmane Farès, par l'intermédiaire de Jacques Chevallier, ancien député et maire d'Alger, décide de négocier avec l'OAS.

L'accord signé le 18 juin par Jean-Jacques Susini, au nom de l'OAS, avec le FLN, est rejeté à Oran. Les 25 et 26 juin, dans la ville recouverte par la fumée des incendies, les commandos de l'OAS attaquent et dévalisent six banques. En fait, il s'agit de préparer la fuite, après l'annonce du colonel Dufour, ancien chef du 1er REP et responsable de l'organisation pour l'Oranie, de déposer les armes. Sur des chalutiers lourdement chargés d'armes (et d'argent), les derniers commandos de l'OAS prennent le chemin de l'exil. Pendant ce temps, le départ des Européens d'Oran a pris l'ampleur d'une marée humaine. Des milliers de personnes, désemparées, hébétées, attendent le bateau dans le plus grand dénuement. Il faut fuir au plus vite ce pays, auquel ils resteront attachés de toutes leurs fibres, transformé en enfer.

Le 1er juillet 1962, la population algérienne vote en masse l'indépendance de l'Algérie. Le « oui » obtient 91,23 % par rapport aux inscrits, et 99,72 % par rapport aux votants. Le 3 juillet, jour où l'indépendance est officiellement proclamée, sept katibas de l'ALN défilent à Oran, boulevard Herriot, devant une foule énorme. Les Algériens déploient leur drapeau d'une Algérie nouvelle, vert et blanc, frappé d'un croissant rouge, manifestent leur joie avec des cortèges scandés par les youyous des femmes, des chants, des danses. Le capitaine Bakhti, chef de la zone autonome d'Oran, s'adresse aux Européens dans une allocution en français : « *Vous pourrez vivre avec nous autant que vous voudrez et avec toutes les garanties accordées par le GPRA. L'ALN est présente à Oran. Il n'est pas question d'égorgements.* » Est-ce, avec la fin officielle de la guerre, l'arrêt, enfin, des flots de sang ? Le 5 juillet 1962, c'est le drame. La foule des quartiers musulmans envahit la ville européenne, vers 11 heures du matin. Des coups de feu éclatent. On ignore les causes de la fusillade. Pour les reporters de *Paris Match* présents sur place, « *on parle, bien sûr, d'une provocation OAS, mais cela semble peu vraisemblable. Il n'y a plus de commandos, ou presque, parmi des Européens qui sont demeurés à Oran après le 1er juillet, que d'ailleurs on considérait là au moins comme une date aussi fatidique que l'an 40* ». Dans les rues, soudain vides, commence une traque aux Européens.

Sur le boulevard du Front-de-Mer, on aperçoit plusieurs cadavres. Vers le boulevard de l'Industrie, des coups de feu sont tirés sur des conducteurs, dont l'un, touché, s'affaisse au volant tandis que la voiture s'écrase contre un mur. Une Européenne qui sort sur son balcon du boulevard Joseph-Andrieu est abattue. Vers 15 heures, l'intensité de la fusillade augmente encore. À un croc de boucherie, près du cinéma Rex, on peut voir, pendue, une des victimes de ce massacre. Les Français, affolés, se réfugient où ils peuvent, dans les locaux de *L'Écho d'Oran*, ou s'enfuient vers la base de Mers-el-Kébir, tenue par l'armée française.

Pendant ce temps, le général Katz, commandant de la place militaire d'Oran, déjeune à la base aérienne de La Sebia. Averti des événements, il aurait, selon l'historien Claude Paillat, répondu à un officier : « *Attendons 17 heures pour aviser* ». Les troupes françaises restent l'arme au pied, le ministère des Armées leur ayant interdit de sortir de leur cantonnement. Précisément, à 17 heures, la fusillade se calme. Dans les jours qui suivent, le FLN reprend la situation en main, procède à l'arrestation et à l'exécution d'émeutiers.

Le bilan du 5 juillet est lourd. Selon les chiffres donnés par le docteur Mostefa Naït, directeur du centre hospitalier d'Oran, 95 personnes, dont 20 Européens, ont été tuées (13 ont été abattues à coups de couteau). On compte, en outre,

161 blessés. Les Européens racontent des scènes de tortures, de pillages et surtout d'enlèvements. Le 8 mai 1963, le secrétaire d'État aux affaires algériennes déclare à l'Assemblée nationale qu'il y avait 3 080 personnes signalées comme enlevées ou disparues, dont 18 ont été retrouvées, 868 libérées et 257 tuées (pour l'ensemble de l'Algérie, mais surtout en Oranie). On ne parlera plus, pendant longtemps, de ces « disparus ».

Ici s'arrête la présence française, dans ce « joyau d'Empire » qu'était l'Algérie française. Le 12 juillet 1962, Ahmed Ben Bella pénètre dans Oran. Une autre bataille commence, celle pour le pouvoir en Algérie. De l'autre côté de la Méditerranée les pieds-noirs n'ont plus qu'une pensée : faire revenir la « protectrice » d'Oran. Notre-Dame-de-Santa-Cruz recevra l'hospitalité dans l'humble église de Courbessac, près de Nîmes.

Benjamin STORA, *27 août 1992*

PREMIER BILAN

Les pertes militaires françaises (Français de métropole et d'Algérie, « Français musulmans », légionnaires) sont les plus précises : 27 500 militaires tués et un millier de disparus.

Pour les civils français d'Algérie, le nombre est de 2 788 tués et 875 disparus jusqu'au cessez-le-feu. Il faut y ajouter 2 273 disparus entre le 19 mars – date de l'entrée en vigueur du cessez-le-feu – et le 31 décembre 1962, dont plus de la moitié est officiellement décédée.

Les pertes de la population musulmane algérienne sont très difficiles à évaluer, car les sources sont divergentes.

Du côté français, l'armée revendique avoir tué 141 000 « rebelles ». Il faut y ajouter 16 378 civils « Français musulmans » tués et 13 296 disparus jusqu'au 19 mars 1962. Mais le général de Gaulle parlait déjà de 145 000 victimes en novembre 1959 et de 200 000 en novembre 1960. Ces chiffres, bien sûr, ne recensent ni les morts inavouables, ni les blessés décédés, ni les victimes civiles des ratissages et des regroupements.

Du côté algérien, le FLN compte en 1964 « *plus d'un million de martyrs* » (charte d'Alger). Dans les années soixante-dix, le Gouvernement a retenu officiellement le chiffre de « *un million et demi de martyrs* ».

Enfin le chiffre le plus difficile à établir est celui des supplétifs musulmans tués après le cessez-le-feu : pour eux, les estimations varient entre 30 000 et 100 000 personnes.

Pour être complet, il faudrait ajouter à ce bilan quelques milliers de tués :

– au Maroc et en Tunisie, dans les conflits frontaliers (Sakhiet) ;

– en France, du fait des différents terrorismes (OAS, FLNI, des règlements de compte, de la répression policière (Charonne ou le 17 octobre 1961), et de l'exécution des condamnés à mort.

Dans cette comptabilité macabre, l'estimation minimum que l'on peut faire est de plus de 250 000 morts, toutes les parties confondues, et l'estimation maximum doit approcher les 500 000 tués.

Patrick ÉVENO, *septembre 1985*

Un million de rapatriés

Des Européens d'Algérie avaient, au cours de la guerre, gagné la métropole. Des Français du Maroc et de Tunisie avaient fait de même. Mais, en Algérie, la grande majorité – souvent les moins privilégiés – espéra jusqu'à la fin dans les promesses des partisans de l'Algérie française, tout en manifestant une violente hostilité à l'égard du pouvoir. La multiplication des attentats du FLN, la tactique de la « terre brûlée » adoptée par l'OAS aux abois et la crainte de représailles après l'indépendance, malgré les garanties incluses dans les accords d'Évian, déclenchèrent au début de l'été 1962 une panique désespérée.

Des milliers de familles se pressèrent dans les ports et les aérodromes pour gagner la France, attendant parfois plusieurs jours un embarquement. Les rapatriements s'espaceront ensuite au cours des mois et des années sans s'interrompre totalement.

On comptait au 31 juillet 1985 : 968 685 rapatriés d'Algérie, 263 357 du Maroc et 179 985 de Tunisie. Le secrétariat d'État aux rapatriés, créé en août 1961 et confié à Robert Boulin, s'efforça d'assurer leur transport, leur subsistance puis leur reclassement. Certains s'installèrent en Espagne, en Amérique du Sud, en Afrique. La croissance économique et le plein-emploi facilitèrent l'insertion des rapatriés en métropole. En 1964, la plupart des 144 000 salariés du secteur privé avaient retrouvé un emploi. Les salariés du service public étaient reclassés. Plus difficile était le cas des 14 % de plus de soixante ans qui disposaient souvent de faibles ressources.

Soixante mille musulmans – enfants non compris – provenaient des unités de supplétifs ; les « harkis ». Ils avaient fui les représailles sanglantes qui frappaient un grand nombre des leurs et conservaient la nationalité française. Ils furent installés dans des chantiers et des hameaux de forestage ou dans des camps, dont le dernier fut fermé en 1975. Leurs difficultés d'insertion ne sont pas encore totalement résolues. [...]

Jean PLANCHAIS, *octobre 1985*

INDEX BIOGRAPHIQUE DES PERSONNAGES

Les acteurs du mouvement nationaliste algérien

Messali Hadj : né à Tlemcen, il émigre à Paris au lendemain de la Première Guerre mondiale et fréquente les organisations mi-ouvrières et mi-nationalistes qui gravitent autour du Parti communiste français. Devenu dirigeant de l'Étoile Nord africaine, une organisation nationaliste, il prend ses distances avec le PCF. Il fonde en 1937 le Parti populaire algérien (PPA), qui est interdit en 1939. Messali Hadj est condamné en 1941 aux travaux forcés.

Homme respecté, il s'opposera toujours au FLN et n'obtiendra la nationalité algérienne qu'en 1965 sans pour autant être reconnu par les autorités d'Alger comme l'un des grands acteurs du nationalisme algérien.

Les neuf chefs historiques de l'insurrection

Hocine Aït Ahmed : né en 1926, en Kabylie, comme sept des chefs historiques de l'insurrection, il est un ancien de l'OS (l'Organisation spéciale), organisme paramilitaire du MTLD[1]. Issu d'une grande famille maraboutique, il est le seul à avoir suivi une formation secondaire jusqu'au premier baccalauréat.

Il est arrêté en octobre 1956 lorsque l'avion d'Air Atlas

1. Mouvement pour le triomphe des libertés démocratiques.

dans lequel il voyage avec Ahmed Ben Bella est intercepté, au-dessus de la Méditerranée, par les autorités françaises. Libéré en mars 1962, au moment du cessez-le-feu, il entre très vite en conflit avec le président Ben Bella, il fonde, en septembre 1963, le Front des forces socialistes (FFS) et déclenche l'« insurrection kabyle » contre le pouvoir algérien. Condamné à mort et gracié, il s'évade de prison en avril 1966 et part pour l'étranger, dont il ne reviendra qu'en décembre 1989. Élu député deux ans plus tard, au premier tour des élections législatives avortées, il quitte à nouveau son pays, en juillet 1992, pour la Suisse, où il vit depuis lors.

Ahmed Ben Bella : né en 1916, dans l'Oranais, Ahmed Ben Bella est, par sa famille, affilié à une confrérie musulmane d'origine marocaine. Il a suivi un début de formation secondaire et participe à la seconde guerre mondiale d'abord comme sergent des tirailleurs algériens au début de la campagne d'Italie puis adjudant des thabors marocains. Il est, au lendemain de la guerre, décoré de la Médaille militaire par le général de Gaulle pour exceptionnelle conduite au feu lors de la bataille de Monte Cassino. En 1949, il dirige l'OS (Organisation spéciale du MTLD) pour l'Oranie. Arrêté une première fois à Blida en 1952, il s'évade et on le retrouve au Caire le 1er novembre 1954. Il est arrêté une seconde fois en octobre 1956 lors de l'interception, par les autorités françaises, de l'avion qui le conduit de Rabat à Tunis. Libéré en mars 1962, au moment de la signature des accords d'Évian, il devient, quelques mois plus tard, le premier président de la République algérienne. Renversé, en juin 1965, par son ministre de la Défense, le colonel Houari Boumédiène, il est détenu jusqu'en juillet 1979, puis placé en résidence surveillée. Autorisé, en octobre 1980, par le président Chadli, à s'expatrier, il fonde, en mai 1984, un parti d'opposition, le Mouvement pour la démocratie en Algérie (MDA). En septembre 1990, il rentre d'exil.

Rabah Bitat : né en 1927, à Laghouat, Rabah Bitat est à l'origine un modeste employé d'une manufacture de tabac de Constantine. Il est arrêté en mars 1955. Condamné aux travaux forcés à perpétuité, il est libéré en mars 1962. Nommé vice-président du premier gouvernement algérien, il démissionne en novembre 1963. Après quelques mois d'exil en France, il se rallie au colonel Houari Boumédiène en juin 1965. Ministre d'État jusqu'en mars 1977, il est élu, à cette date, président de la première Assemblée populaire nationale (APN), poste qui le place en position de numéro deux de l'État, et dont il démissionne en octobre 1990. À la mort du colonel Boumédiène, en décembre 1978, il avait assuré, pendant quarante-cinq jours, l'intérim de la présidence de la République.

Didouche Mourad : né en 1922, à Alger, Didouche Mourad est issu d'une famille de montagnards kabyles qui a émigré en ville au début du XXe siècle. Formé dans un collège technique d'Alger puis de Constantine, il est l'un des rédacteurs de la première proclamation du FLN. Il meurt en janvier 1955, dans le Constantinois, au cours d'un accrochage avec une unité de parachutistes français.

Mostefa Ben Boulaïd : né en 1917, dans les Aurès, Mostefa Ben Boulaïd, est en 1954, avec pour tout bagage une formation à l'école communale, un commerçant aisé des Aurès dans le domaine du textile. Il possède également une entreprise de transport et une minoterie. Il est l'un des fondateurs du Comité révolutionnaire pour l'unité et l'action (CRUA) dont est issu le FLN, et est arrêté en février 1955. Condamné à mort, il s'évade de la prison de Constantine et reprend le commandement de sa wilaya. Il est tué, en mars 1956, dans le maquis des Aurès, par l'explosion d'un colis piégé.

Larbi Ben M'hidi : né en 1923, dans le Constantinois, Larbi Ben M'hidi est issu d'une famille maraboutique du Constantinois et a suivi partiellement des études secondaires. Il abandonne très vite le commandement de sa wilaya pour coordonner, à Alger, l'action des groupes terroristes. Considéré comme un héros de la bataille d'Alger, il est arrêté en février par les troupes du général Massu et assassiné.

Mohamed Khider : né en 1912, à Alger, Mohamed Khider est un traminot originaire du Sud constantinois qui s'est engagé dans le syndicalisme et s'est formé par lui-même. Musulman rigoureux, il a beaucoup fréquenté les Frères musulmans pendant ses séjours au Caire. Il est arrêté en octobre 1956 dans l'avion que détournent les autorités françaises. Libéré en mars 1962, il est nommé secrétaire général et trésorier du FLN. Mais, un an plus tard, il entre en dissidence et gagne l'étranger, où il se pose en opposant irréductible du président Ben Bella d'abord, puis de son successeur, Houari Boumédiène. Détenteur du trésor de guerre du FLN, il était parvenu à bloquer ces fonds à la Banque commerciale arabe de Genève et n'entendait les restituer qu'à un gouvernement algérien « légitime ». Il est assassiné, le 3 janvier 1967, à Madrid et le gouvernement algérien ne récupère ces fonds qu'en 1979. Il sera réhabilité, à titre posthume, en novembre 1984 à l'occasion du 30e anniversaire de l'insurrection.

Krim Belkacem : fils d'un garde champêtre kabyle nommé « caïd » par l'autorité coloniale, il est né en 1922, en Kabylie. Un temps petit fonctionnaire dans une commune mixte, il est connu au sein des dirigeants du FLN pour être un partisan des méthodes expéditives... Krim Belkacem quitte le pays après la bataille d'Alger. Signataire, en mars 1962, des accords d'Évian, en tant que vice-président du gouvernement provisoire de la République algérienne (GPRA), il s'oppose, dès l'indépendance, à Ben Bella puis à son successeur, Houari Boumédiène. Accusé d'être le commanditaire d'un attentat contre ce dernier, il est condamné à mort par contumace pour « *trahison et conspiration avec l'étranger* ». Il est retrouvé étranglé à Francfort, dans sa chambre d'hôtel, le 18 octobre 1970. Il sera réhabilité en novembre 1984 par les autorités algériennes à l'occasion du 30e anniversaire de l'insurrection algérienne.

Mohamed Boudiaf : issu d'une branche déclassée d'une grande famille, il est né en 1919, à M'sila, dans l'est du pays et a suivi une formation primaire puis en partie secondaire. Militant du MTLD (Mouvement pour le triomphe des libertés démocratiques), il participe à l'OS, sa branche militaire secrète.

Mohamed Boudiaf est arrêté, en octobre 1956, dans l'avion que les autorités françaises détournent au-dessus de la Méditerranée. Il est alors considéré comme le plus politique des dirigeants algériens arrêtés ce jour-là. Libéré en mars 1962, il se brouille très vite avec le président Ben Bella et, partisan du multipartisme, fonde, en septembre, le Parti de la révolution socialiste (PRS). Brièvement emprisonné en juillet 1962 par Ben Bella, il refuse de participer aux premières élections de la nouvelle Algérie les considérant « préfabriquées », et dénonce les prémisses d'un régime policier en formation. À nouveau arrêté en 1963 pour *« complot contre la sécurité de l'État »*, il s'exile au Maroc. Il en revient, en janvier 1992, pour prendre la tête du Haut Comité d'État (HCE) après la démission-déposition du président Chadli Bendjedid. Il assume cette présidence collégiale pendant cent soixante-six jours, jusqu'à son assassinat, en juin de la même année, à Annaba, par un membre de sa garde rapprochée.

Les dirigeants en marge

Aban Ramdane : même s'il ne fait pas partie des neuf dirigeants historiques, sa place est essentielle dans l'histoire de la révolution algérienne et, aujourd'hui encore, il est considéré comme le dirigeant du FLN le plus politique de cette guerre. Né en Kabylie dans une famille modeste, bachelier, sergent dans l'armée française, il prend du poids dans l'organisation clandestine à partir du congrès de la

Soummam en août 1956 en imposant la primauté des combattants de l'intérieur sur ceux de l'extérieur du pays et en privilégiant le combat politique sur l'action strictement militaire. Il sera exécuté par ses frères d'armes en décembre 1957.

Ferhat Abbas : dans l'histoire du combat pour une Algérie indépendante, il représente le nationalisme modéré et laïque. Pharmacien à Sétif, fils d'un caïd nanti, il fait de bonnes études à Alger et est élu président de l'Association des étudiants musulmans. Dès les années trente, il milite pour l'émancipation de ceux que l'on appelle à l'époque les indigènes. En 1944, il participe activement à la création des Amis du manifeste et de la liberté. Élu député de Sétif à l'Assemblée nationale en juin 1946, il reprend son combat pour l'émancipation. Le soulèvement du 1er novembre 1954 le prend au dépourvu mais, dès 1955, il entre en contact avec les maquisards.

Président du premier Parlement de l'Algérie indépendante, il s'oppose à la Constitution de 1963 qu'il juge trop autoritaire. En 1964, Ben Bella le fait arrêter ; en 1965, Houari Boumédiène, le nouveau maître de l'Algérie, le fait libérer. Il se retire alors de la vie politique même si, en 1976, il cosigne un texte dénonçant le pouvoir autoritaire qui sévit en Algérie. Il meurt à Alger le 24 décembre 1985.

Saadi Yacef : fils d'un boulanger de la casbah d'Alger, il devient à trente ans le chef de l'insurrection pour la zone autonome d'Alger. Il négocie en juillet et en août 1957 avec Germaine Tillon l'arrêt des attentats aveugles. Une accalmie est alors constatée à Alger. Il est arrêté en septembre 1957, les attentats reprennent. Condamné à mort par les autorités françaises, il est gracié par le général de Gaulle au moment où ce dernier devient président de la République en janvier 1959.

Quelques acteurs français

Les politiques

Guy Mollet : dirigeant socialiste (SFIO), en mars 1956, il obtient du Parlement, y compris des députés communistes, des pouvoirs spéciaux pour régler le conflit algérien, installe à Alger un gouverneur socialiste et autoritaire, Robert Lacoste, et engage massivement les soldats du contingent dans la guerre. En juin 1958, il accepte de travailler comme ministre d'État au sein du gouvernement du général de Gaulle.

Jacques Soustelle : né en 1912 d'une modeste famille cévenole et protestante, il intègre l'École normale supérieure, passe l'agrégation de philosophie et rejoint l'équipe des ethnologues du musée de l'Homme que dirige Jean Rivet. Spécialiste des Indiens du Mexique qu'il côtoie depuis 1932, il se rallie à de Gaulle en 1940 pour, deux ans plus tard, être chargé de l'information au gouvernement français de Londres. En 1943, lorsque de Gaulle s'impose à Alger, Jacques Soustelle prend en charge les services de renseignement. Considéré dans les années cinquante comme un homme de gauche, sa nomination par Pierre Mendès France comme gouverneur général en Algérie crée l'effroi parmi les « élites » françaises d'Algérie. Et pourtant, s'il engage des réformes politiques et économiques en Algérie, Jacques Soustelle apparaît au fil des ans comme un partisan inflexible de l'Algérie française. Il rompt avec de Gaulle, soutient le putsch des généraux d'avril 1961, entretient des rapports étroits avec l'OAS. Pour échapper à l'arrestation en France, il choisit l'exil. Sept ans plus tard, en octobre 1968, bénéficiant de la loi d'amnistie voulue par le général de Gaulle, il retrouve un poste à l'École des hautes études en sciences sociales puis, en 1973, se fait élire député du Rhône. Et en même temps prend parti pour le maintien de la présence blanche en Afrique. En 1983, il est élu membre de l'Académie française.

Parmi les libéraux d'Alger

Mgr Léon Étienne Duval : fils d'un paysan savoyard, il est né en 1903 et franchit la Méditerranée en 1946 pour occuper le siège épiscopal de Constantine et de Hippone. Il côtoie le peuple algérien et prend la mesure de sa misère. Il arrive à Alger en 1954, dénonce dès 1955, en chaire, la pratique de la torture et un an plus tard se prononce en faveur de l'autodétermination des populations. Mais tout en condamnant les attentats aveugles du FLN et les crimes antieuropéens au lendemain de l'indépendance.

Les militaires

Le général de Bollardière : officier de la Légion d'honneur, Compagnon de la Libération, il combat dès 1946 en Indochine puis commande en 1956 le secteur de l'Atlas Blidéen. Protestant contre l'emploi de la torture lors des interrogatoires, il demande à être relevé de son commandement et est mis aux arrêts.

Le général Jacques Massu : il participe jeune officier à la « pacification » au Maroc, en 1931, puis au Togo. Il est ensuite chargé d'« administrer » le Tibesti. Pendant la Seconde Guerre mondiale, il rejoint Leclerc et donc se rallie à de Gaulle. On le retrouve, toujours aux côtés de Leclerc, en Indochine. En 1955, il devient général et en 1957 prend le commandement de la 10e division parachutiste. Guy Mollet, président socialiste du conseil (SFIO), et Robert Lacoste, ministre, socialiste, résidant en Algérie, lui donnent tous les pouvoirs pour rétablir l'ordre à Alger. Avec l'utilisation systématique de la torture et un quadrillage extrêmement rigoureux de la ville et de ses habitants, le FLN de la zone autonome d'Alger est décapité quelques mois plus tard.

Fidèle du général de Gaulle, il refusera de participer au putsch des généraux contre la République.

Les quatre généraux putschistes

Maurice Challe : de Gaulle envoie en Algérie à la fin de 1958, pour succéder à Salan, cet aviateur, major général des forces armées. Des « réserves générales » – parachutistes et légionnaires principalement –, il fait une force stratégique. Il renforce les barrages aux frontières marocaine et tunisienne et balaie l'Algérie d'ouest en est, « cassant » toutes les unités de l'ALN. Conscient de sa victoire, il est désarçonné par le discours sur l'autodétermination. Lors de l'affaire des barricades, il laisse paraître son désarroi. Rappelé par de Gaulle, il est nommé commandant en chef des forces alliées Centre-Europe. Le 26 janvier 1961, il demande sa retraite par anticipation et se prépare à entrer à Saint-Gobain, lorsque les colonels le convainquent de prendre la tête du putsch. Il entend mener une opération « propre » sans effusion de sang, entre militaires. Le Haut Tribunal militaire le condamne à quinze ans de détention criminelle. Le général Challe est mort le 18 janvier 1979.

Raoul Salan : sorti de Saint-Cyr, Raoul Salan sert en Indochine, en Asie et en Afrique. À la fin de la guerre, il est le plus jeune général de l'armée française. Il succède à de Lattre et commande en chef en Indochine de janvier 1952 à mai 1953. Le 13 novembre 1956, le gouvernement Guy Mollet le nomme commandant supérieur interarmées en Algérie. Étiqueté « bradeur » par les ultras, il est, au bout de deux mois, la cible d'un attentat ; son chef d'état-major est tué. Le 13 mai 1958, il est à la fois le chef de file des émeutiers et le délégué général nommé par le gouvernement. Il finit, avec réticence, par faire appel à de Gaulle. Une fois celui-ci au pouvoir, Salan s'efforce de poursuivre la politique d'intégration en Algérie. Le général de Gaulle l'écarte et le nomme, le 12 décembre 1958, inspecteur général de la Défense, puis gouverneur militaire de Paris. Il prend sa retraite le 10 juin 1960. L'Algérie lui est interdite. Le 25 octobre, dans une conférence de presse, après le discours du général de Gaulle sur l'autodétermination, il réitère sa position en faveur de l'Algérie française. Six jours plus tard, il s'exile à Madrid. Après le putsch, il devient le chef clandestin de l'OAS, jusqu'à son arrestation à Alger, le 20 avril 1962. Il est condamné à la détention perpétuelle par le Haut Tribunal militaire. Il est mort le 3 juillet 1984.

Edmond Jouhaud : né à Bou Sfer (Oranie), le général d'armée aérienne Jouhaud est un partisan passionné de l'intégration de l'Algérie à la France. Après le 13 mai 1958, alors commandant de la région aérienne d'Algérie, il devient vice-président du Comité de salut public. De Gaulle le nomme chef d'état-major, puis inspecteur général de l'armée de l'air. En octobre 1960, il demande sa retraite anticipée. Il est mêlé quelque temps à la recherche d'une solution de partage territorial de l'Algérie. Après l'échec du putsch, il devient le chef de l'OAS en Oranie. Il est arrêté à Oran le 25 mars 1962. Condamné à mort le 13 mai 1962, il est gracié au bout de 229 jours. Il se consacre ensuite à la défense des Français rapatriés. Il meurt le 4 septembre 1995.

André Zeller : sorti du rang, il est sous-lieutenant à Verdun. Organisateur et logisticien, il est, après la Libération, directeur puis inspecteur de l'artillerie. Il devient chef d'état-major de l'armée de terre. Il démissionne à grand fracas le 23 février 1956, lorsque le gouvernement « casse » les nouvelles divisions destinées à l'OTAN pour renforcer les effectifs en Algérie. Il mène en même temps, dans la presse, un combat virulent pour l'Algérie française. De Gaulle le rappelle à l'activité à son ancien poste en 1958, mais s'en sépare l'année suivante. Il entre dans l'opposition clandestine contre le pouvoir. Pendant le putsch, il parcourt l'Algérie pour rallier les hésitants. Peu après l'échec du putsch, il se livre pour ne pas compromettre ceux qui l'ont recueilli. Il est condamné, comme Challe, à quinze ans de réclusion criminelle. Il est mort le 18 septembre 1979.

Et quelques colonels...

Le colonel Antoine Argoud : polytechnicien, capitaine à vingt-huit ans, colonel à quarante-quatre ans, major de l'École de guerre, il est pour les uns un théoricien passionné de la guerre révolutionnaire et pour les autres un boucher et un tortionnaire. Pour tous, il deviendra à la fin de la guerre d'Algérie une sorte de prototype du soldat perdu engagé contre la République.

Charles Lacheroy et **Jean Garde**, qui ont dirigé le service de presse des armées à Paris et à Alger, comme **le colonel parachutiste Broizat**, entendaient également retourner contre le FLN, allié présumé de Moscou, les méthodes de guerre révolutionnaire utilisées par le Viêt-minh en Indochine.

Le colonel Godard a été le patron de la sûreté à Alger en 1958 et l'est redevenu pendant le putsch.

Les officiers condamnés pour leur participation au putsch et à l'OAS ont été progressivement libérés puis amnistiés par le général de Gaulle le 7 juin 1968. Le 24 novembre 1982, François Mitterrand les a fait réintégrer avec leur grade dans la réserve.

TABLE

608

Composition PCA à Rezé
Achevé d'imprimer en Allemagne (Pössneck) par GGP
en août 2003 pour le compte de E.J.L.
84, rue de Grenelle 75007 Paris
Dépôt légal août 2003.

Diffusion France et étranger : Flammarion